15

Schrijven in stappen

Schrijven in stappen

Handboek voor de verslaglegging van literatuuronderzoek

Esther Haag
Jeanne Dirven

Derde druk

Uitgeverij LEMMA
Den Haag
2008

Omslagontwerp: Haagsblauw, Den Haag
Opmaak binnenwerk: Textcetera, Den Haag

© 2008 E. Haag en J. Dirven / Uitgeverij LEMMA

ISBN 978-90-5931-273-9
NUR 600

www.lemma.nl

Voorwoord

Dit handboek is ontstaan vanuit de wetenschap dat goed rapporteren niet iets is wat je, na het met succes afronden van de middelbare school en een eventuele vervolgopleiding, zomaar 'kunt'. Goed rapporteren moet je leren.
We schreven dit boek in 1993 voor het bedrijfskundig en sociaalwetenschappelijk georiënteerd onderwijs. Inmiddels blijkt het ook in andere academische richtingen gebruikt te worden: voor universitaire kunstopleidingen bijvoorbeeld. Daar hebben we de voorbeelden in deze herdruk wat op aangepast, waardoor de gebruiksmogelijkheden vergroot zijn.
De vraag blijft echter ook in deze herdruk: hoe leer je iemand schrijven?

Deze vraag werd ons in de praktijk gesteld, en wij hebben hem opgevat als opdracht. Belangrijk uitgangspunt bij het invullen van die opdracht was de gedachte dat schrijven een wisselwerking is tussen de processen voorbereiden, schrijven en herschrijven. De interactie ('recursiviteit') tussen deze drie 'rondes' (Steehouder e.a., 2006) moest ook in een didactische omgeving ruimte krijgen. Omdat we in de bestaande literatuur geen handleiding vonden die enerzijds didactisch duidelijke stappen bood, en anderzijds recht deed aan de recursiviteit van het schrijfproces, stelden we zelf materiaal samen. Een reader met capita selecta uit onder meer Steehouder e.a. (1984, 1992), Elling & Andeweg (1990) en Overduin (1986) vormde het skelet voor onze cursus. Dankzij het, met behulp van de ervaringen van studenten en docenten, steeds nauwkeuriger invulling geven aan de drie rondes is uiteindelijk dit handboek ontstaan.[1]

Achtergrondgedachte is de opvatting van schrijven als 'probleemoplossen'. Schrijven is een complexe activiteit, die verder gaat dan alleen de fysieke 'pen op papier' of de 'vingers op het toetsenbord'. Een schrijver moet zijn stof analyseren en beheersen, zijn eigen gedachten vormen en ordenen, en keuzes maken voor de meest passende representatie van al die gegevens. Bovendien heeft een schrijver een bepaald doel met zijn tekst: hij[2] wil iets bij z'n lezers bereiken. Dit kan begrip zijn, maar ook belangstelling, bijval voor een stand-

5

---

1 De ontstaansgeschiedenis van dit boek brengt de koppeling van enkele van de adviezen van bronauteurs met zich mee. Vanuit bestaande methoden wordt zo de weg ingeslagen naar een integrale, stapsgewijze aanpak. Voor het geven van voorbeelden bij de verschillende stappen (hoofdstukken) is onder andere gebruikgemaakt van ideeën en teksten van studenten Bedrijfskunde.
2 Overal waar in dit boek de schrijver met 'hij' wordt aangeduid, kan vanzelfsprekend ook de vrouwelijke pendant 'zij' worden gelezen.

punt of de bereidheid tot een bepaald gedrag. Wie een schrijftaak heeft (opgedragen gekregen of niet), staat dus in wezen voor een complex probleem.

Deze optiek biedt een aantal voordelen, immers: problemen kunnen worden opgelost. Sleutel hiertoe is het opdelen van de schrijftaak in verschillende minder complexe deeltaken. We kunnen deze deeltaken synchroon laten lopen met de genoemde rondes van het schrijfproces. De moeilijkheid voor de didactiek is dat deze rondes met elkaar kunnen interacteren. Wanneer een schrijver in de herschrijffase nog leemten in de tekst ontdekt, kan hij bijvoorbeeld besluiten terug te gaan naar de fase van voorbereiding, bijvoorbeeld om zich verder te documenteren.

Om een schrijver deze ruimte te laten, hebben we in dit handboek gekozen voor een opsplitsing in rondes waarbij we heel precies invulling geven aan de respectievelijke stappen en activiteiten. Daarbij is aan iedere ronde een eigen deel gewijd. Binnen de zo verkregen drie delen Voorbereiding, Inhoud en Afwerking beschrijven we in ieder hoofdstuk een stap en in iedere paragraaf een in die stap uit te voeren activiteit. Hiermee bieden we schrijvers een nauwkeurig overzicht van alle uit te voeren taken. Begin- en eindpunt van de schrijftaak liggen weliswaar vast, maar daarbinnen kan iedere schrijver zijn eigen schrijfmethode bepalen. Het gedetailleerde overzicht maakt het mogelijk al gedane stappen of activiteiten over te slaan of stappen of activiteiten te herhalen. Ter controle kan met de achter in elk deel gegeven checklist nauwkeurig worden nagegaan of alle noodzakelijke stappen en activiteiten doorlopen zijn. Op deze manier krijgt in een lineair overzicht de recursiviteit van het schrijven toch voldoende ruimte.

Het soort tekst dat met een methode als deze geschreven wordt, doet in principe niet ter zake. Alle teksten zijn in meer of mindere mate het gevolg van de rondes voorbereiden, schrijven en herschrijven. Wel kozen we bewust het literatuurverslag als uitgangspositie. Niet alleen omdat dit type tekst veel gebruikt wordt, maar ook omdat het een goede basis vormt voor het leren schrijven van andere soorten teksten. Het schrijven van een literatuurverslag leert een schrijver om te gaan met materiaalverzameling, het formuleren van een duidelijke probleemstelling, het opstellen en uitwerken van een tekstplan, en het vormgeven van de definitieve versie van de tekst.[3]

---

3 We concentreren ons nadrukkelijk op het *schrijven* van een literatuurverslag. Voor specifieke methodologische richtlijnen verwijzen we naar de op de opzet van een onderzoek toegespitste (hand)boeken.

Door de precieze beschrijving van de te zetten stappen kan de methode die in dit boek wordt voorgesteld zowel zelfstandig als in groepsverband worden gebruikt. De checklist aan het eind van elk deel biedt groepen de mogelijkheid om de verschillende activiteiten te verdelen over de individuele deelnemers. Dit maakt het boek ook geschikt voor gebruik in andere dan didactische contexten, zoals de adviespraktijk, waarbij het type tekst kan variëren van literatuurverslag tot onderzoeksverslag of adviesrapport.

Onze dank gaat uit naar alle studenten en docenten voor hun kritische bijdragen op de eerdere versies van dit boek. Vanzelfsprekend staan wij open voor opmerkingen en suggesties.

Esther Haag
Groningen, juni 2008

Inhoudsopgave

Introductie

Vroeg of laat zal iedereen die een hbo- of wo-opleiding volgt, de opdracht krijgen een goed gestructureerd en helder rapport te schrijven. Dit is geen gemakkelijke opgave. Schrijven is moeilijk, maar goed gestructureerd en helder schrijven is nog moeilijker. Een onduidelijke tekst zonder een goede structuur zal zijn doel voorbij schieten. De tekst brengt niets over en de doelgroep zal de tekst ongelezen laten. Doel van dit boek is degene die voor de opdracht staat een literatuurverslag (of referaat, rapport) te schrijven, bekend te maken met een doelmatige schrijfmethode die hem in staat stelt een helder en gestructureerd verslag te schrijven.

Schrijf met behulp van strategieën
Veel mensen die een literatuurverslag of ander soort rapport willen of moeten schrijven, hebben moeite met het begin. Het witte vel staart hen aan en alles wat erop gekrabbeld wordt, lijkt al snel raar, irrelevant of onjuist. Zelfs zij die veel afweten van het onderwerp waarover ze schrijven en zij die dagelijks teksten moeten produceren, kennen dit probleem. Het beginnen is namelijk vooral een strategisch probleem, dat nauw samenhangt met de manier waarop je de schrijftaak aanpakt. Iedereen gebruikt strategieën tijdens het schrijfproces. De één wacht tot hij inspiratie voelt, de ander begint al brainstormend alles op te schrijven wat in hem opkomt, en een derde schrijft, streept door, schrijft en streept weer door, net zolang tot er een acceptabele zin op papier staat. Sommige strategieën werken beter dan andere, en welke dat zijn kan weer per persoon verschillen. Het totaal aan individuele strategieën dat een schrijver gebruikt, noemen we zijn 'schrijfmethode'.

Schrijf met behulp van een doelmatige schrijfmethode
Het is van belang dat je als schrijver beschikt over een goede, doelmatige schrijfmethode. Wat een goede schrijfmethode is, is heel moeilijk vast te leggen. Het is in ieder geval een methode waar de schrijver mee uit de voeten kan, en die ook nog tot een redelijke tekst leidt. De schrijfmethode moet aansluiten bij de manier waarop de schrijver zelf het beste schrijft. En juist daar zit hem de kneep: iedere schrijver is verschillend en schrijft op zijn eigen manier. Hoe kun je dan met één schrijfmethode volstaan? Door schrijven op te vatten als een doelgerichte bezigheid, waarbij uiteenlopende strategieën gebruikt kunnen worden om dat doel te bereiken.[4]

---

4 Het is nadrukkelijk niet onze bedoeling de eigen werkwijze van eenieder hier radicaal om te gooien. De hier gegeven schrijfmethode biedt een goede basis en laat ruimte voor de eigen strategieën.

Het schrijfproces verloopt aanzienlijk gemakkelijker als we over een doelmatige schrijfmethode beschikken. De kracht van zo'n methode is namelijk dat deze het schrijfproces opsplitst in deeltaken. Door deze één voor één uit te voeren wordt het schrijfproces overzichtelijker, en daardoor beter hanteerbaar. Het witte vel zal minder afschrikwekkend zijn als je je tot deeltaak stelt alleen wat ideeën te noteren in plaats van direct vloeiend proza te schrijven.

Schrijf door antwoord te geven op vragen

Belangrijk uitgangspunt van de doelmatige schrijfmethode die we hier geven is dat zakelijk schrijven niets anders is dan het helder beantwoorden van vragen.[5] We noemen dit wel de 'vraagstrategie'. Schrijven begint met het zo goed mogelijk voor jezelf formuleren van de relevante vragen over het onderwerp waarover je schrijft. Dit doe je door veel over het onderwerp te lezen. Vervolgens ga je na of dit de vragen zijn waarop de lezer een antwoord verwacht. Door de uiteindelijk geselecteerde vragen te rangschikken en vervolgens op papier te beantwoorden, maak je de lezer duidelijk op welke vragen de tekst hem een antwoord biedt.

Het gebruik van de vraagstrategie is in de eerste plaats een goede manier voor een schrijver om zich in zijn lezer te verplaatsen. Door te bedenken welke vragen de lezer heeft over het onderwerp en door die vragen in de tekst te beantwoorden, heeft de schrijver niet alleen meer oog voor de lezer, maar hij vereenvoudigt ook zijn eigen schrijfproces. Wie schrijven opvat als het beantwoorden van vragen, kan zijn schrijfproces in kleine blokjes opdelen en hoeft niet steeds aan de hele tekst tegelijk te denken. Met het beantwoorden van elke vraag komt de schrijver stukje bij beetje dichter bij een complete tekst, die, als de vragen goed gerangschikt zijn, haast vanzelf een goede opbouw (in hoofdstukken, paragrafen en alinea's) heeft.

Schrijf in rondes

In deel 2 van dit boek zal blijken dat vrijwel niemand in staat is een definitieve versie van een zakelijke tekst in één keer perfect op papier te zetten.

Het werken met een doelmatige schrijfmethode betekent werken in minimaal drie schrijfrondes, die elk een eigen doel hebben. De eerste ronde heeft als doel het ordenen van de gedachten en het gevonden materiaal daarbij voor de schrijver zelf. De tweede ronde richt zich meer op de lezers: wat wil ik bij hen bereiken? De derde ronde dient om na te gaan of met de tekst bereikt wordt

---

5 We benaderen het schrijfproces in dit boek vanuit de Anglo-Amerikaanse traditie. Deze ziet schrijven meer als een 'ambacht' dan als een 'kunstvorm'. Deze benadering is de aan universitaire opleidingen overheersende, met name omdat zij ons in staat stelt schrijven als een vak aan studenten te doceren. In de continentale benadering, waarin schrijven als 'kunst' gezien wordt, is dat veel lastiger. Zie Rienecker & Jörgensen, 2003.

wat bereikt moet worden. De optiek van 'het schrijven in rondes' benadert het werkelijke verloop van het schrijfproces. Grofweg is dit proces op te delen in drie subprocessen: voorbereiden, schrijven en herschrijven. Deze drie processen zijn weliswaar in volgorde gebonden (niemand herschrijft zijn tekst alvorens hem te schrijven), maar ze voltrekken zich in onderlinge wisselwerking. Schrijvers kunnen, op het moment dat ze in de schrijffase vastlopen, teruggaan naar de fase van voorbereiding om bijvoorbeeld meer materiaal te verzamelen. Hetzelfde geldt voor de herschrijffase, waarin het best mogelijk is terug te keren naar een van de eerdere fasen wanneer dit noodzakelijk is. Het gevolg van deze zogenoemde 'recursiviteit' in het schrijven is dat een schrijver zijn tekst keer op keer opnieuw onder ogen krijgt.

Je zou het geheel zichtbaar kunnen maken op de manier zoals weergegeven in het schema op pagina 16.
Schrijvers beginnen vanuit een punt ('de opdracht') waarin ze een voor hen interessant onderwerp kiezen, en schrijven de in de voorbereiding verzamelde gegevens dan in de daaropvolgende rondes steeds verder uit. In die rondgang verleggen ze hun aandacht steeds verder van het verzamelen en ordenen van eigen en gevonden materiaal naar het lezergericht presenteren van dit materiaal. Daarbij komen in de ene ronde activiteiten uit de andere ronde(s) terug, maar wel met een andere intentie. Het globale tekstplan wordt een uitgewerkt tekstplan, wordt een concept en wordt een definitieve tekst... De lezer speelt een steeds sterkere rol.

15

Is de fase van Voorbereiding (het eerste deel van dit boek) niet goed doorlopen, dan zullen ook de fasen van het schrijven en herschrijven moeilijk gaan. De tekst zal in zo'n geval z'n doel vaak niet bereiken. Het resultaat van de voorbereiding is een tekstplan.
In de fase van het schrijven van de Inhoud (het tweede deel van dit boek) zullen, uitgaand van het opgestelde tekstplan, verschillende versies van de tekst (minimaal twee: een conceptversie en een definitieve versie) ontstaan.
Het herzien en herschrijven van teksten is een belangrijk onderdeel van iedere professionele schrijfmethode. In de herschrijffase, de Afwerking (het derde deel van dit boek), zal de definitieve tekst nog eens op fouten en uiterlijke kenmerken onder de loep worden genomen.

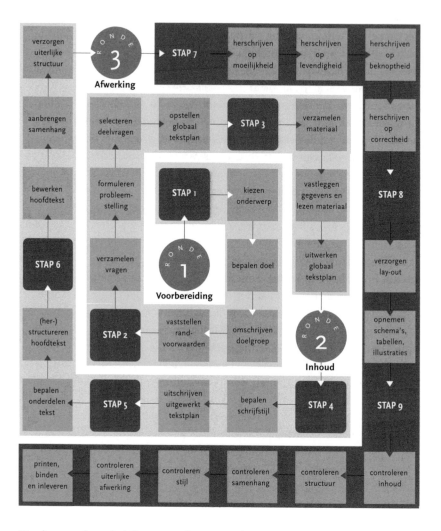

Het keer op keer bekijken van de eigen tekst wordt vooral door beginnende schrijvers als een overbodige luxe gezien. Als een tekst op papier staat is hij af, zo redeneren zij. De eigenlijke reden is waarschijnlijk de ervaring dat het heel moeilijk en vervelend kan zijn je eigen tekst door te lezen. Veel mensen kunnen moeilijk de afstand nemen die nodig is om gedachtesprongen of leemten in de eigen tekst te lokaliseren. Anderen hebben een vreemd soort gevoel van 'schaamte' voor de op papier gezette ideeën en zijn bang voor de kritiek van de lezer. Omdat teksten die uitgebreid werden herzien en herschreven, hun doel én doelgroep beter blijken te bereiken dan teksten die deze revisie niet hebben ondergaan, staan we in dit boek toch een uitgebreid aantal herschrijfstappen voor. Door de opdeling in stappen wordt de herziening minder complex en wordt het een krachtig wapen in de hand van hen die 'Wie schrijft, die blijft' te gelde willen maken.

Schrijf in stappen

Het advies 'schrijf in rondes' is nogal vaag. Beginnende schrijvers weten vaak niet wat er in de verschillende rondes moet gebeuren. In dit boek wordt daarom, binnen de drie rondes (lees: delen), in stappen weergegeven welke taken er in iedere ronde verricht moeten worden. Aan het begin van iedere stap is daarbij weergegeven welke activiteiten binnen die stap uitgevoerd moeten worden. Achter in ieder deel bevindt zich een checklist met het overzicht van alle stappen van die ronde en de daarbinnen uit te voeren activiteiten. Aan de hand van die checklist kan nog eens worden nagegaan of alle stappen zijn doorlopen.

De indeling van dit boek in rondes en stappen ziet er als volgt uit:

Ronde 1 Voorbereiding
Stap 1: van opdracht tot onderwerp
Stap 2: van onderwerp tot globaal tekstplan
Stap 3: van globaal tot uitgewerkt tekstplan

Ronde 2 Inhoud
Stap 4: van uitgewerkt tekstplan tot eerste concept
Stap 5: van eerste concept tot gestructureerde tekst
Stap 6: van structuur tot samenhang

Ronde 3 Afwerking
Stap 7: van samenhang tot formuleren
Stap 8: van formuleren tot presenteren
Stap 9: van presenteren tot inleveren

Doordat de recursiviteit van het schrijfproces in de stappen is ingebouwd, zullen bepaalde activiteiten in verschillende rondes worden herhaald. Een schrijver kan zelf bepalen of hij deze activiteiten nog een tweede maal wil doorlopen. Ons advies is vanzelfsprekend dit wel te doen, omdat een goede revisie nu eenmaal betere teksten oplevert.

RONDE **1** voorbereiding

▼

STAP 1   **Van opdracht tot onderwerp**

1.1   het kiezen van het onderwerp

1.2   het bepalen van het doel

1.3   het omschrijven van de doelgroep

1.4   het vaststellen van de randvoorwaarden

STAP 2   **Van onderwerp tot globaal tekstplan**

2.1   het verzamelen van vragen

2.2   het formuleren van de probleemstelling

2.3   het selecteren van deelvragen —— vraagschema

2.4   het opstellen van het globale tekstplan — globaal tekstplan

STAP 3   **Van globaal tot uitgewerkt tekstplan**

3.1   het verzamelen van materiaal

3.2   het vastleggen van gevonden gegevens — kaartsysteem

3.3   het doelgericht lezen van het materiaal

3.4   het uitwerken van het globale tekstplan — uitgewerkt tekstplan

Naar ronde 2

Voorbereiding

Kun je met lezen vaak zomaar beginnen – je pakt hooguit even je bril –, schrijven moet je terdege voorbereiden. Een goed tekstplan is één van de machtigste middelen om ingewikkelde taken als het schrijven van een literatuurverslag onder controle te houden. Ze maakt de schrijftaak overzichtelijk en werkbaar. Veel mensen hebben, vooral onder tijdsdruk, een hekel aan de voorbereiding en gaan liever meteen 'aan het werk'. Ze vergeten daarbij dat zo'n voorbereiding in plaats van tijd te kosten, tijd kan *besparen*. Het vormt een belangrijk onderdeel van het 'werk'. Dit deel, deel 1, is geheel gewijd aan de stappen die nodig zijn om van schrijfopdracht tot eerste concept te komen.

Van opdracht tot onderwerp

De activiteiten die tijdens deze stap moeten worden uitgevoerd, zijn:
1.1 het kiezen van een onderwerp;
1.2 het bepalen van het doel;
1.3 het omschrijven van de doelgroep;
1.4 het vaststellen van de randvoorwaarden.

Het schrijven van een literatuurverslag of een andere zakelijke tekst gebeurt vaak op basis van een opdracht. Degene die de opdracht krijgt, heeft meestal enkele afspraken gemaakt met de opdrachtgever (de docent). Deze afspraken hebben betrekking op het doel (wat wil je met je tekst teweegbrengen), de doelgroep (je lezers), de randvoorwaarden (hoe lang mag het literatuurverslag zijn, hoeveel tijd heb je) en het onderwerp. We noemen deze afspraken samen de 'opdrachtomschrijving'.

Het is belangrijk bij een schrijfopdracht in het kader van een opleiding te beseffen dat het *doel* van de opdracht ondergeschikt is aan het *leerdoel*. Het literatuurverslag heeft primair een didactische functie: het geeft je de gelegenheid je competenties eigen te maken die voor een thesis, afstudeerverslag of scriptie vereist zijn (bijvoorbeeld het opzetten van een onderzoek, het verzamelen van gegevens, het schrijven van een rapport).

Ook de *doelgroep* is bij een schrijfopdracht binnen een onderwijssituatie beperkt. Vaak bestaat het lezerspubliek uit een docent en – in het gunstigste geval – een aantal medestudenten. Deze lezer is niet primair geïnteresseerd in de toepasbaarheid van de inhoud, het gaat erom dat je *een probleem helder kunt analyseren, een methode kunt toepassen, dingen op een rijtje kunt zetten.* Soms is het daardoor niet zo eenvoudig uit te maken wat er wel of niet in het literatuurverslag dient te komen: hoe diepgaand of hoe breed het *onderwerp* moet worden beschreven, volgt immers niet uit de aard van een concreet praktisch probleem of uit specifieke behoeften van de lezer. De inhoud hangt dan mede af van factoren die weinig met het onderwerp te maken hebben: het didactisch doel van de opdracht, de 'normale' lengte van het literatuurverslag en de 'normale' tijd die je krijgt voor het schrijven ervan.

Ook wanneer er geen opdracht gegeven wordt, is het raadzaam je op je taak te oriënteren door – al dan niet officieel – een aantal afspraken vast te leggen in een zogeheten opdrachtomschrijving. Je doet er in zo'n geval goed aan enkele afspraken met jezelf te maken over het doel, de doelgroep en de randvoorwaarden. Doe je dit niet, dan bestaat de kans dat je schrijfproces een stuurloos geheel wordt en dat je je doel en doelgroep volledig mist.

De afspraken betreffen de volgende zaken:
- waarover gaat de tekst/het literatuurverslag (onderwerp);
- waarom ga je een schrijftaak uitvoeren (doel);
- voor wie is de tekst/het literatuurverslag bestemd (doelgroep/publiek);
- aan welke randvoorwaarden moet je je houden.

Deze afspraken bepalen de vier activiteiten van de eerste stap. We bespreken ze één voor één.

1.1 Het kiezen van het onderwerp

Het onderwerp is de kern van de tekst; datgene waarover de tekst gaat. Het onderwerp van een te schrijven tekst kan zijn opgegeven, maar er kan ook uit een aantal onderwerpen moeten worden gekozen. In slechts enkele gevallen is de keuze van het onderwerp helemaal vrij.

Bij een gerichte schrijfopdracht kan vaak uit een reeks onderwerpen worden gekozen. Voor die keuze zal je *interesse* een belangrijk criterium zijn. Er is wellicht een probleemgebied dat je bijzondere belangstelling heeft en waarover je meer zou willen weten; misschien omdat je daar verdere plannen mee hebt in het vervolg van je studie of carrière. Grijp deze schrijftaak dan aan om je kennis op dat gebied te verdiepen.

Schrijven begint met lezen. Wie veel over een onderwerp leest, zal eerder op vragen stuiten die een leidraad kunnen vormen voor een eigen tekst. Maar door veel te lezen vergroot je ook je gevoel voor stijl en tekstsoorten, en je verbetert je vocabulaire. Meestal gaat dit helemaal automatisch, maar wanneer je je voor de opdracht geplaatst ziet een literatuurverslag op te stellen, kun je het doelbewust en gericht doen. Ga op zoek naar boeken en artikelen over onderwerpen die je speciale belangstelling genieten. Je ziet dan direct of er al veel over geschreven is.

Naast je eigen interesse zul je echter met andere criteria rekening moeten houden. In opleidingssituaties is het bijvoorbeeld belangrijk te weten welk *leerdoel* de opdrachtgever – de docent – met de opdracht heeft. Als de docent dit leerdoel niet nadrukkelijk en nauwkeurig formuleert, kan het zijn dat je te veel hooi op je vork neemt. Daarom moet je, vóórdat je je onderwerp kiest, het leerdoel duidelijk voor ogen hebben.

Heb je dat, dan zul je stil moeten staan bij *de methode, tijd, omvang* en *lay-out* die voor de schrijftaak in kwestie zijn vastgesteld. De *deadline* is tot slot ook een belangrijke randvoorwaarde (zie ook paragraaf 1.4) voor de keuze van je onderwerp. Je moet er immers zeker van zijn dat je onderwerp niet te breed (of te smal) is om binnen de gestelde tijd te onderzoeken en te beschrijven. Deze kennis doe je op door veel over het onderwerp te weten te komen.

Om er zeker van te zijn dat het onderwerp van je literatuurverslag passend is, zul je dit moeten 'afbakenen'. De eerste stap in dit afbakenen is het precies formuleren van het onderwerp. Deze formulering moet zo bondig mogelijk zijn, maar daarnaast zo precies mogelijk aangeven waarover de tekst zal gaan. Pas dan kun je het onderwerp verder inperken met behulp van een probleemstelling (zie hoofdstuk 2).

Bij de afbakening van je onderwerp zul je ook stil moeten staan bij de beschikbaarheid van de informatie die je nodig hebt. Hoewel schrijvers vooraf aan het aanvaarden van een schrijftaak vaak – door ervaring of opleiding – wel enige (globale) kennis over het te kiezen of voorgelegde onderwerp hebben, toch moet dit nog verder worden verkend. Deze verkenning kan op verschillende manieren gebeuren. Je kunt je bijvoorbeeld baseren op materiaal uit literatuur, onderzoek of gesprekken. Bedenk van tevoren of en waar er literatuur over je onderwerp te vinden is. Denk er ook aan dat veel materiaal gereserveerd zal moeten worden omdat het kan zijn uitgeleend. Dit gegeven is belangrijk voor je planning.

1.2 Het bepalen van het doel

Een voorwaarde voor een goede tekst is dat je weet met welk doel je deze schrijft. Doelgericht schrijven stamt al uit de tijd van de klassieke retorica (vierde eeuw voor Chr.). Aristoteles was de eerste die de beginselen van deze overtuigingsleer nauwkeurig beschreef. Retorica, zegt hij, is de vaardigheid om geschikte overtuigingsmiddelen te vinden en in een redevoering of betoog te gebruiken. De spreker (lees ook: schrijver) moet zijn overtuigingsmiddelen volgens Aristoteles in alle soorten betogen afstemmen op het publiek. Hiertoe staan hem drie soorten overtuigingsmiddelen ter beschikking: 'ethos', 'pathos' en 'logos'. Een spreker maakt gebruik van ethos als hij direct of indirect naar zijn eigen kwaliteiten verwijst. Volgens Aristoteles is dit het meest effectieve overtuigingsmiddel: een publiek dat vertrouwen heeft in de spreker, zal geneigd zijn diens standpunt te aanvaarden. Een spreker maakt gebruik van pathos als hij inspeelt op de emoties van het publiek, en van logos als hij zijn publiek probeert te overtuigen door middel van argumenten.

Ook als je je in een opleidingssituatie met een duidelijk leerdoel bevindt, moet je een *eigen doel* bepalen. Het doel van de tekst is dat wat je als schrijver bij de doelgroep wilt bereiken. Verwar dit niet met het doel van het onderzoek zelf! Bijvoorbeeld:
- kennis vergroten (= beschrijven);
- belangstelling wekken (= motiveren);
- begrip kweken (= verklaren);
- een oordeel geven (= toetsen of evalueren);
- bijval voor een bepaald standpunt vragen (= adviseren of voorschrijven, maar in ieder geval overtuigen);
- de bereidheid vergroten iets te ondernemen (= activeren).

De woorden tussen haakjes geven aan welke *handeling* een schrijver moet verrichten als hij het ervoor genoemde doel nastreeft. Die handeling verwijst eigenlijk weer naar het doel van je literatuurstudie. Met dat doel geef je aan *waarom* je het onderzoek doet. En met de vraagstelling, ter onderscheid, *wat* je onderzoekt. Je formuleert je onderzoeksdoel meestal expliciet in je eerste inleidende hoofdstuk. Het doel dat een schrijver bij een lezer wil bereiken, is vaak uit de formulering van de probleemstelling af te lezen. We komen hierop in hoofdstuk 2 terug.

Uitgangspunt is steeds dat je als schrijver minimaal het vermoeden moet hebben dat je doel bij de gekozen doelgroep gehaald kan worden. Het is natuurlijk weinig zinvol iets te verklaren wat al veel eerder op die manier verklaard is, en ook iets toetsen of evalueren heeft alleen zin als het op een niet eerder getoonde wijze gebeurt én het bijdraagt aan de kennis over het onderwerp.

Het doel dat je met je tekst wilt bereiken, wordt in de eerste plaats bepaald door het *onderwerp*. Kies je een onderwerp waarover nog maar weinig bekend is (en waarover dus maar weinig literatuur bestaat), dan zal je doel eerder kennisvergroting zijn dan bijval vragen voor een bepaald standpunt. Neem je daarentegen een onderwerp dat het middelpunt is van een actuele discussie, dan zul je al gauw je standpunt in die kwestie moeten bepalen, en wordt je verslag eerder overtuigend dan objectief informerend.

De tweede factor die de keuze van je doel bepaalt is de *doelgroep*. Afhankelijk van haar voorkennis en attitude ten opzichte van je onderwerp is een doel wel of niet realiseerbaar. Bij het schrijven van een literatuurverslag mag je ervan uitgaan dat de lezers interesse voor en (enige) kennis van het vakgebied hebben waartoe je onderwerp behoort. De mate van aanwezige kennis zul je, voordat je je doel bepaalt, moeten taxeren. Een literatuurverslag voor de

24

wetenschappelijke staf van een vakgroep aan de universiteit vereist een 'hogere insteek' dan een literatuurverslag voor de directie van een kleine firma. Het doel varieert mee.

De schrijver moet zijn boodschap zo weergeven dat de lezer deze begrijpt zoals zij bedoeld is (en het gewenste gedrag gaat vertonen). In het geval van het literatuurverslag kan het doel van de schrijver zijn om bij te dragen aan de kennis over een bepaalde kwestie, het toetsen van een theorie of visie, het evalueren van bepaalde opties, het oplossen van een bestaand probleem, het wekken van belangstelling voor een bepaalde visie of het geven van advies.

Belangrijk is te beseffen dat er onderscheid te maken is tussen de conceptfasen van de tekst, waar het streven is je gedachten helder op papier te krijgen, en latere rondes, waarin het erom gaat je ideeën aan de lezer duidelijk te maken.

1.3 Het omschrijven van de doelgroep

Al bij het bepalen van het doel van je taak heb je – bewust of onbewust – nagedacht over de vraag: voor wie schrijf ik mijn literatuurverslag? Vaak is dat de opdrachtgever (de docent) en in de meeste gevallen weet je wat voor eisen hij stelt. Soms is de doelgroep echter een heterogeen gezelschap, dat je niet of nauwelijks kent. De doelgroep van bijvoorbeeld een stadsblad zal verschillen in leeftijd, opleiding, politieke en godsdienstige overtuiging, beroep en inkomen. Gemeenschappelijke kenmerken zijn bekendheid met de stad, belang bij de leefbaarheid ervan en de interesse die men zal hebben voor nieuws over die stad en te verwachten evenementen.

Als je als schrijver je doelgroep van nabij kent, kun je enkelen van hen op dergelijke gemeenschappelijke kenmerken (zie activiteit 1.3 in de checklist) peilen. Waarin stemt de doelgroep overeen, waardoor kenmerkt zij zich? De beste methode hiervoor is een gesprek waarin je de ander vraagt naar zijn mening over het onderwerp. Stimuleer diegene daarbij steeds te specificeren wat hij precies bedoelt.

Is de afstand tussen jou en je doelgroep groot, dan is het moeilijk zicht te krijgen op de kenmerken van die groep. Je zult je dan moeten inleven in de gedachten, omstandigheden en opvattingen van je lezers. Je kunt (vooral bij wat grotere doelgroepen) ook kijken naar teksten van andere schrijvers. Hebben zij hetzelfde publiek als jij, ga dan na wat hun aanpak, opbouw en toon waren.

1.4 Het vaststellen van de randvoorwaarden

Bij een tekst van enige omvang is het goed je te realiseren binnen welke randvoorwaarden je moet werken. Bepalend voor de randvoorwaarden van een literatuurverslag is de precieze omschrijving van dit type tekst. Heel algemeen is die omschrijving: 'verslag van onderzoek naar bestaande literatuur over een bepaald onderwerp binnen een bepaald vakgebied'. Afhankelijk van de opdrachtsituatie kan er aan deze algemene omschrijving een scala aan verbijzonderingen en eisen worden gesteld.
Onder de randvoorwaarden vallen:

1 *De methode*
Het kan zijn dat er een methode is voorgeschreven volgens welke je moet werken.

2 *De tijdsplanning van het schrijfproces*
De deadline bepaalt hoeveel tijd je voor het literatuurverslag hebt. Reken vanaf de inleverdatum terug hoeveel weken je hebt, en plan daarin je activiteiten. Dit is van belang bij de keuze van je documentatie (het probleem van de beschikbaarheid), maar ook voor de eventuele hulp van anderen (informatie via interviews, toetsing en eventuele 'proeflezers' die fouten uit conceptversies kunnen halen).

3 *De omvang en de lay-out van het schrijfproduct*
Vaak bestaan er (vooral bij opdrachten in een opleidingssituatie) eisen ten aanzien van het aantal pagina's en bijvoorbeeld het formaat van de tekst. Dergelijke eisen bepalen de breedte van je onderwerp. In een verslag van maximaal 6 pagina's kun je nu eenmaal minder over een onderwerp kwijt dan in een tekst die 25 pagina's mag omvatten.

Van onderwerp tot globaal tekstplan

> De activiteiten die tijdens deze stap moeten worden uitgevoerd, zijn:
> 2.1 het verzamelen van vragen;
> 2.2 het formuleren van de probleemstelling;
> 2.3 het selecteren van deelvragen;
> 2.4 het opstellen van het globale tekstplan.

Een belangrijk uitgangspunt van de schrijfmethode die we hier geven, is dat zakelijk schrijven het helder beantwoorden van vragen is. We veronderstellen dat er lezers zijn die iets willen weten, dat er bij de doelgroep vragen leven waarop de tekst een betrouwbaar antwoord kan geven. Paragraaf 2.1 gaat nader in op het gebruik van vragen bij het schrijven. In paragraaf 2.2 bespreken we de probleemstelling. De stap van verkenning van het onderwerp begint namelijk met het formuleren van een centrale vraag: de *probleemstelling*. Deze fungeert als kapstok voor je verhaal. In paragraaf 2.3 beschrijven we hoe je aan de hand van je probleemstelling relevante deelvragen kunt bedenken die je met betrekking tot het onderwerp wilt beantwoorden. Het selecteren hiervan gebeurt door je in je lezers te verplaatsen: wat willen zij graag weten en welke vragen moet je als schrijver, mede gezien je doel, voor hen beantwoorden? Dit alles resulteert in een globaal 'tekstplan'. Op basis hiervan kan het literatuuronderzoek (zie hoofdstuk 3) beginnen.

2.1 Het verzamelen van vragen

Tijdens de verkenning van het onderwerp doet de schrijver eigenlijk niets anders dan het formuleren van relevante vragen over het onderwerp. Het is goed om deze vragen ook (eventueel in steekwoorden) te noteren. Na een algemene inventarisatie van *mogelijke vragen* zul je je moeten afvragen welke vragen de *lezer* zullen interesseren. Door een *selectie* te nemen van de oorspronkelijke lijst met vragen moet de schrijver komen tot de vragen waarop ook de lezer een antwoord verwacht. Het gaat er dan nog niet om een structuur voor de tekst vast te leggen, maar om het vinden van de globale tekstinhoud.

Uit de algemene inventarisatie van vragen en de op de potentiële lezer gerichte selectie zal één vraag als hoofdvraag gaan fungeren. Het betreft de centrale vraag waarop de tekst uiteindelijk een antwoord biedt: de *probleemstelling* (zie paragraaf 2.2) bij het onderwerp. Zo'n centrale vraag is vrijwel nooit ineens te beantwoorden. Was dit het geval, dan was hij waarschijnlijk niet interessant en veelzijdig genoeg om er een complete tekst over te schrijven.

De probleemstelling zet de schrijver aan tot het 'onderzoek' van de literatuur waarop hij zich baseert. Goed kunnen zoeken van en in bronnen en gericht en snel kunnen lezen, waarderen en analyseren van teksten zijn dan ook de kerncompetenties voor het kunnen schrijven van een literatuurverslag.

Omdat een probleemstelling niet in één stap beantwoord kan worden, wordt zij beantwoord via deelvragen (zie paragraaf 2.3). Pas als de bij de probleemstelling *noodzakelijk te stellen deelvragen* stuk voor stuk en in een logische volgorde (in de tekst) beantwoord zijn, kan een antwoord worden gegeven op de probleemstelling. Dat antwoord is dan vaak te vinden aan het slot of in de conclusie van de tekst.

2.1.1 Het vraagschema van een tekst

Elke tekst is op te vatten als een serie antwoorden op vragen over een bepaald onderwerp. Deze vragen noemen we het 'vraagschema' van een tekst. Het bestaat uit een centrale vraag (de probleemstelling) en een aantal deelvragen (zie activiteiten 2.2 en 2.3 in de checklist). Zo'n vraagschema is niet alleen een hulpmiddel als we zelf een tekst gaan schrijven, maar het is ook handig zo'n schema te distilleren bij het lezen, analyseren, samenvatten en redigeren van een tekst die door een ander geschreven is. Ter verduidelijking geven we een deel van een literatuurverslag van een student Bedrijfskunde en het bijbehorend vraagschema als voorbeeld:

Hoe kan System Development Methodology (SDM) worden toegepast op kleinschalige automatiseringstrajecten?

'SDM staat voor System Development Methodology. Dit is een methode om het project van systeemontwikkeling en -implementatie beter te beheersen. Dit gebeurt door het hele traject op te delen in zeven fasen. De volgende zeven fasen zijn bij SDM te onderscheiden: informatieplanning, definitiestudie, basisontwerp, detailontwerp, realisatie, invoering, gebruik en beheer. De fasen geven tegelijkertijd de levensloop van een geautomatiseerd informatiesysteem weer. De vraag die in dit verslag wordt gesteld is of deze methode, die eigenlijk ontworpen is voor grote en complexe projecten, ook toepasbaar is voor kleine automatiseringsprojecten. Zelfs voor kleine projecten waar sprake is van oplossing van de problemen door standaard-

28

software. Nu is het zo dat ook standaardsoftware altijd aan de situatie in de praktijk moet worden aangepast, maar het vergt vanzelfsprekend minder tijd en denkwerk dan een nieuw te ontwikkelen programma voor het oplossen van het probleem.

Voor het vergelijken van de toepassing van de zeven fasen van SDM, zowel bij een kleinschalig project als bij een standaard SDM-project, wordt een antwoord op de probleemstelling gezocht. Waarschijnlijk zal SDM bij kleinschalige projecten niet gehanteerd moeten worden als een formulemethode die tot in detail moet worden uitgewerkt, maar dienstdoen als een checklist voor de gebruiker tijdens het proces van keuze en implementatie. Dit bevordert dan het zich bewust maken van de keuzes die gemaakt moeten worden bij een complexe zaak als automatisering.'

Vertaald in vragen en antwoorden kan dit zijn:

Onderwerp: De toepasbaarheid van System Development Methodology (SDM) op kleinschalige automatiseringsprojecten

Wat is SDM?
Een methode om het project van systeemontwikkeling en -implementatie te beheersen.
Wat houdt de methode in?
Het opdelen van het project in zeven fasen.
Welke zeven fasen zijn dit?
Informatieplanning, definitiestudie, basisontwerp, detailontwerp, realisatie, invoering, gebruik en beheer.
Waarvoor wordt SDM gebruikt?
Voor grote en complexe projecten.
Hoe zal SDM bij kleine projecten dienstdoen?
Als een checklist voor de gebruiker bij de keuze en implementatie.

Door de vragen uit de tekst te achterhalen kun je het onderwerp van zo'n tekst nauwkeurig vaststellen. Als het goed is, kan de lezer vervolgens het vraagschema van de schrijver afleiden. Het vraagschema dat de schrijver van de hiervoor geanalyseerde tekst gehad zal hebben, kan er als volgt hebben uitgezien:

Probleemstelling
Hoe kan System Development Methodology (SDM) worden toegepast op kleinschalige automatiseringsprojecten?

Deelvragen

Wat is SDM?

Uit welke fasen bestaat SDM?

Hoe zijn de fasen van toepassing op een standaard SDM-project?

Hoe zijn de fasen van toepassing op een kleinschalig automatise-ringstraject?

Sta je zelf voor een schrijftaak, dan zul je merken dat de vaak moeizame start van het onderzoeks- en schrijfproces gemakkelijker wordt als je je realiseert dat je antwoord moet geven op vragen die de lezers je stellen.

2.1.2 De verkenning van het onderwerp

Om tot een goed afgebakend vraagschema te komen moet eerst duidelijk zijn welke vragen er mogelijk zijn: je moet het onderwerp verkennen. Dat kan door lezend in bronnen een aantal standaardvragen min of meer brainstormend toe te passen op je onderwerp.[6]

Wie/wat is het?

Hoe ziet het eruit? Welke eigenschappen heeft het?

Waarop lijkt het? Waarvan verschilt het?

Wie/wat doet het?

Wie/wat ondergaat het? Voor wie is het bestemd?

Wie/wat is erbij betrokken?

Uit welke delen bestaat het?

Tot welke soort behoort het?

Wat is er een voorbeeld van? Hoeveel zijn er?

Waar gebeurt het?

Hoe gebeurt het? (methode, middel)

Wanneer gebeurt het?

Welke ontwikkelingsgang heeft het? (ontstaan/verloop/einde)

Wat is de oorzaak? Wat is het gevolg? (resultaat, consequentie, nevengevolg)

Waarom? (reden, argument) Met welk doel?

Wat zijn de voordelen? Wat zijn de nadelen?

Wie heeft het gezegd?

In wiens belang is het?

---

6 'Brainstormen' betekent zoveel als: vrij associëren om snel aan veel bruikbare ideeën te komen. Je verzint en noteert zo veel mogelijk losse ideeën, zonder je direct om de bruikbaarheid of de relevantie te bekommeren.

Ondanks wat?
Wat heeft het voor resultaat?
Waaruit blijkt het?
Onder welke voorwaarden? Aan welke eisen moet het voldoen?
Waar wijst het op? Waar is het een teken van?
Wat is het waard? (voordelen, nadelen)
Wat is ervoor/ertegen te doen?

(Bron: Steehouder e.a., 2006: 191)

Na het brainstormen ga je na welke vragen van toepassing zijn op het onderwerp. De vragen die na deze selectie resteren, noteer je. Geef daarbij, indien mogelijk, ook alvast een aanduiding van de richting waarin het antwoord vermoedelijk te vinden zal zijn.

Een voorbeeld is:

Onderwerp: de receptie van de omstreden decadente schrijver Oscar Wilde

Wie was Oscar Wilde?
Beschrijving van CV en werk: briljant student, esthetische en decadente beweging, in zijn werk vaak suggestieve ondertoon, dramatische portretten van de menselijke gesteldheid.
Uit wat voor soort gezin kwam Oscar Wilde?
Geboren als tweede zoon van een vooraanstaande Iers-protestantse familie. Zijn vader was een oor- en oogarts, die in 1864 geridderd werd. Zijn moeder was een dichteres van de revolutionaire 'Young Irelanders'.
Waarvoor werd de vader van Oscar Wilde precies geridderd?
Voor zijn verdiensten op het vlak van de geneeskunde, namelijk ...
Wat voor beweging was de 'Young Irelanders'?
Zij ijverden voor Iers zelfbestuur (Home Rule).
In welke tijd leefde Oscar Wilde en wat zijn de kenmerken van die tijd?
Victoriaanse tijd beschrijven: deugdzaamheid, hard werken, vroomheid en een sterke preutsheid.
Welke opleidingen genoot Oscar Wilde?
Tot 1871 op kostschool in Enniskillen (middelbare school). Klassieke Taal- en Letterkunde aan het Trinity College in Dublin, afgestudeerd in 1874 met een 'First Class Degree'. Klassieke literatuur en geschiedenis aan het Magdalen College in Oxford met studiebeurs, afgestudeerd in 1878 met 'First Class Honours'.

31

> *Welke teksten schreef Oscar Wilde?*
> Opsomming van teksten uit de primaire bibliografie ...
> *Wat waren de poëticale opvattingen van Oscar Wilde?*
> Decadentisme en afkeer van realistisch proza. 'Life imitates art'
> (Ellmann, 1969: 311). 'Art for art sake'-beweging.
> *Wat waren de opvattingen over decadentisme in die tijd?*
> Grotendeels afkeurend, verwant met homoseksualiteit. Dit werd
> beschouwd als sodomie en dus als strafbaar.
> *Hoe werd het werk van Oscar Wilde in de literaire kritiek ontvangen*
> *en werd er in de literaire kritiek een relatie gelegd met zijn*
> *homoseksualiteit?*
> Als cultfiguur, zijn persoonlijkheid werd meer (en negatief)
> besproken dan zijn werk. Homoseksueel schandaal nekt zijn carrière.
> *Conclusie*
> ...

Zoals blijkt, zijn niet alle bij het onderwerp te stellen vragen direct interessant voor de schrijver en/of voor de lezer. Er moet na de brainstorm nog een selectie plaatsvinden, gestuurd door de probleemstelling (centrale vraag en doel, zie paragraaf 2.2). Stel dat de centrale vraag bij het hiervoor genoemde onderwerp de volgende is:

> **Centrale vraag**
> Hoe kan verklaard worden dat Oscar Wilde tijdens zijn leven zeer
> negatief ontvangen/gerecipieerd werd door een groot deel van de
> Britse literaire kritiek?

Dan zou de selectie van deelvragen kunnen bestaan uit de volgende reeks:

> **Deelvragen**
> Wie was Oscar Wilde?
> In welke tijd leefde Oscar Wilde?
> Wat zijn de kenmerken van die tijd?
> Wat waren de poëticale opvattingen van Oscar Wilde?
> Wat waren de opvattingen over decadentisme in die tijd?
> Hoe werd het werk van Oscar Wilde in de literaire kritiek ontvangen?
> Werd er in de literaire kritiek een relatie gelegd met zijn homo-
> seksualiteit?

Vanzelfsprekend zal niet op alle toepasselijke vragen direct een antwoord voorhanden zijn. Om die antwoorden (en de conclusie!) te vinden is (literatuur) onderzoek nodig.

Om te voorkomen dat je lukraak (en dus te breed) naar literatuur gaat zoeken, zul je de in de brainstormfase door jou gevonden serie vragen dus verder moeten afbakenen. Uiteindelijk doel is het opstellen van een vraagschema zoals hiervoor, dat een overzicht geeft van de in het onderzoek te vinden antwoorden, met als kapstok de probleemstelling.

2.2 Het formuleren van de probleemstelling

De probleemstelling is de centrale vraag plus de daarbij te formuleren deelvragen waarop de tekst antwoord geeft. Deze kan het best de vorm hebben van een 'open' vraag. Dit zijn vragen die beginnen met een vraagwoord zoals: wie, wat, waar, welke, waarom, waarmee en hoe. De probleemstelling moet zo bondig mogelijk worden geformuleerd.

Een goede probleemstelling geeft richting aan het schrijfproces. Ze geeft aan voor welke taak je staat: het vinden van een antwoord. En op basis daarvan kun je de tekstinhoud preciezer bepalen. Daarnaast dwingt de probleemstelling je precies te zijn en na te gaan of de termen die je gebruikt voldoende gedefinieerd zijn.

Wanneer een opdracht het startpunt voor het schrijven van je literatuurverslag vormt, bepaalt deze voor een belangrijk deel de opzet van je tekst. Maar een opdracht is niet altijd even helder geformuleerd: hij kan vaag en voor verschillende uitleg vatbaar of te ruim gesteld zijn. Krijg je het onderwerp in een opdracht aangereikt, bijvoorbeeld: *Bestudeer het probleem van ...*, *Beschrijf ...* of *Onderzoek de methode ...*, dan kun je dit vaak op meerdere manieren vertalen in een probleemstelling. In verband met de tijdsplanning is het goed een opdracht altijd te vertalen in één of meer *precieze* centrale vragen.

Stel dat de opdracht luidt: 'Schrijf een literatuurverslag over Shakespeare'. Dan is een mogelijke centrale vraag:

> 'Welke mogelijkheden zijn er in Nederland voor kinderen om kennis te maken met de werken van William Shakespeare en welke zijn het meest geschikt voor het middelbare onderwijs?'

33

Maar ook de volgende centrale vraag is denkbaar:

> 'Op welke manieren is Shakepeare's werk, door de belichting van universele thema's als identiteit, de strijd der seksen, familierelaties, vriendschap, (onbeantwoorde) liefde, jaloezie, verlies, woede, vergeving, acceptatie en dood, te gebruiken als therapie?'

Of de vraag:

> 'Hoe is de receptie van de toneelstukken van William Shakespeare in de loop van de tijd veranderd?'

Bij elk onderwerp zijn dus meerdere probleemstellingen te formuleren. Bepalende factor bij de keuze van de probleemstelling is het doel dat je als schrijver wilt bereiken. In paragraaf 1.2 zagen we al dat het doel dat een schrijver met zijn tekst beoogt, vaak direct samenhangt met het soort tekst dat hij schrijft. Als hij uit is op bijval voor een bepaald standpunt, zal hij een overtuigende tekst moeten schrijven. Afhankelijk van de kracht van de overtuiging, en dus van de autoriteit van de auteur, diens invloed op de lezer en de zekerheid waarmee hij zijn standpunt op basis van beschikbare argumenten kan verdedigen, kan het zijn dat hij zijn lezer iets wil adviseren of (sterker) iets wil voorschrijven.

34

In probleemstellingen die bestaan uit meerdere centrale vragen, is vaak een bepaalde volgorde in de doelen te vinden. Die volgorde is: (1) beschrijven, (2) verklaren, (3) toetsen, (4) adviseren en (5) voorschrijven (zie ook Overduin, 1986: 36). Wanneer je als schrijver iets wilt verklaren, zul je dit immers eerst moeten beschrijven, en wanneer je iets wilt toetsen, zul je het eerst moeten beschrijven en vervolgens verklaren. Dit gegeven is ook af te lezen uit de hiervoor gegeven 'dubbele' probleemstelling: 'Welke mogelijkheden zijn er in Nederland voor kinderen om kennis te maken met de werken van William Shakespeare en welke zijn het meest geschikt voor het middelbaar onderwijs?' De eerste centrale vraag in deze probleemstelling is beschrijvend (vergelijk: 'Welke Y's zijn er?'), en de tweede is meer toetsend of evaluerend (vergelijk: 'Hoe moet X gewaardeerd worden?'). Zou je de volgorde omkeren, en de evaluerende vraag eerst stellen, dan zou het een onlogisch en onduidelijk geheel worden. Op deze volgorde komen we bij de behandeling van de deelvragen terug (paragraaf 2.3).

Verschillende schrijvers zullen niet alleen verschillende doelen hebben, ze zullen eenzelfde onderwerp ook vanuit verschillende gezichtspunten bekijken. Het is je taak als schrijver één gezichtspunt te kiezen dat past bij je doel en bij de doelgroep. Dit dwingt je jouw invalshoek vast te leggen en daarmee na te gaan wat je wilt onderzoeken. Door je onderwerp op je eigen manier te benaderen kun je de nieuwe stof die je verkrijgt tot een eigen verhaal verwerken. Wel zul je in je literatuurverslag moeten motiveren waarom je juist voor díe invalshoek hebt gekozen. Daarvoor zul je bij de probleemstelling een korte toelichting moeten geven. Bij de probleemstelling: 'Hoe is de receptie van de toneelstukken van William Shakespeare in de loop van de tijd veranderd?' zou de toelichting de volgende informatie moeten bevatten: waarom juist de toneelstukken als uitgangspunt zijn gekozen. Of je vanuit een culturele, sociale of andere invalshoek kijkt. Of er een bepaalde periode uit het werk van Shakespeare bedoeld wordt. Om welk publiek het gaat. Tot welke regio de probleemstelling zich beperkt (Engeland, Nederland?). Welke periode de vergelijking bestrijkt. Enzovoort.

Daarnaast zul je de termen die je in je probleemstelling gebruikt nauwkeurig moeten definiëren: Wat wordt onder 'receptie' verstaan? Wanneer is het een 'toneelstuk'? Welke 'loop der tijd'? Enzovoort.

Ook als je denkt algemeen bekende begrippen te hanteren, is het belangrijk deze nauwkeurig te omschrijven. Het gaat erom dat het de lezers (vaak vakgenoten) duidelijk wordt welke selectie je hanteert, welke theorieën je aanhangt en vanuit welke visie je opereert. Voor een woord als 'receptie' alleen al zijn tientallen definities en omschrijvingen in omloop. De keuze die je (vaak expliciet gemotiveerd) maakt, verschaft de lezer inzicht in de weg die je wilt bewandelen. Voor teksten in een wetenschappelijke context geldt als belangrijke reden voor duidelijke definities vooral de eis van *controleerbaarheid* van het beschrevene. En onderzoek moet ook altijd *herhaald* kunnen worden.

De meeste verslagen die men tijdens een studie of daarna schrijft, draaien om één enkele centrale vraag (met deelvragen). Teksten met meer centrale vragen als uitgangspunt, zoals een stageverslag, leiden vaak tot een beschrijving in plaats van een echt onderzoek. Ze zijn ook vaak minder ingewikkeld van opbouw dan teksten met één centrale vraag; ze geven een beschrijving van feiten. Dit komt onder andere doordat meer centrale vragen vaak met zich meebrengen dat in de tekst meer doelen bereikt moeten worden.

Het onderscheid wordt duidelijk als je het in paragraaf 2.1.1 gegeven vraagschema voor een literatuurverslag vergelijkt met het vraagschema van een stageverslag:

Hoe ziet het stagegevende bedrijf eruit? (beschrijving)
Bij welke afdeling heeft de stage plaatsgehad? (beschrijving)
Welke opdracht stond gedurende de stage centraal? (beschrijving)

35

Welke andere taken verrichtte de stagiair tijdens de stageperiode? (beschrijving)

Hoe kijkt de stagiair terug op de ervaringen tijdens de stage, in het licht van de studie? (evaluatie)

Wat zijn de uitkomsten of producten van de stage? (bijlagen of beschrijving)

In het stageverslag worden verscheidene min of meer even belangrijke vragen onafhankelijk van elkaar beantwoord. Het is niet zo dat je eerst de ene vraag moet beantwoorden voor je het antwoord op een andere kunt geven. Je zou ook één van de vragen weg kunnen laten, zonder dat de tekst er schade van ondervindt. We noemen dit een tekst met 'een lineaire structuur'. De tekst bevat een aantal elementen op gelijk niveau; het ene element is misschien meer uitgewerkt dan het andere (uit elke vraag kun je ook hier weer deelvragen afleiden), maar in principe zijn alle elementen even belangrijk.

Wanneer we in dit hoofdstuk over 'probleemstellingen' spreken, hebben we het nadrukkelijk *niet* over dergelijke lineaire structuren. We verwijzen ermee naar (vaak enkelvoudige) centrale vragen, met daarbij hiërarchisch geordende deelvragen. Bij zo'n probleemstelling kun je geen deelvragen weglaten zonder dat de opbouw en logica eronder lijden.

2.3 Het selecteren van deelvragen

De verkenning van het onderwerp heeft een lijst van *mogelijke* vragen opgeleverd (zie paragraaf 2.1.2). Op basis van die lijst moet je nu beslissen welke vragen je voor je literatuurverslag uitkiest. Uitgangspunt daarbij vormt de probleemstelling die je geformuleerd hebt.

Als het goed is roept de probleemstelling zelf al deelvragen op. Net als de probleemstelling kunnen deelvragen het beste in de vorm van zo bondig mogelijk geformuleerde 'open' vragen worden gegoten.

Een voorbeeld van zo'n probleemstelling was: 'Hoe is de receptie van de toneelstukken van William Shakespeare in de loop van de tijd veranderd?'. Mogelijke deelvragen bij deze probleemstelling zijn:

> Wie was William Shakespeare?
> Wanneer leefde hij?
> Wat schreef hij?
> Hoe is de receptie van het toneelwerk van Shakespeare in onze tijd?
> Wat verstaan we onder 'receptie'?
> Welke invloed heeft ons onderwijs op deze receptie?
> Hoe is de verfilming van Shakespeare's stukken te beschrijven?

Hoe was het theater voor zijn tijd?

Hoe was het theater in zijn tijd?

Welke soorten theater waren er?

Was er sprake van professioneel toneel? Zo ja, hoe was dit georganiseerd?

Hoe groot was het publiek?

Wat vond het publiek van zijn boeken?

Wat vond het publiek van zijn toneelstukken?

Hoe was de opvoering van Shakespeare's toneelstukken in zijn tijd georganiseerd?

Hoe is de opvoering van Shakespeare's toneelstukken heden ten dage georganiseerd?

Wat is het verschil met de receptie in zijn eigen tijd?

Hoe is dit verschil te verklaren?

Zoals je ziet, is dit nog een zeer ruwe verzameling. Niet alleen is de volgorde niet helemaal logisch (de hiërarchie), er zitten ook vragen tussen die er niet horen. Zo worden vragen naar definities niet als deelvragen gezien, want dergelijke definities worden immers al direct bij de formulering van de centrale vraag gegeven. Bovendien gaat het hiervoor vermelde rijtje vragen verder dan de centrale vraag. Immers, in plaats van het verschil in receptie te beschrijven, wordt er in de deelvragen ook ingegaan op de 'verklaring' van dit verschil. De lijst met deelvragen die uit de verkenningsfase en uit de probleemstelling volgt, moet dus zorgvuldig worden gecontroleerd. Per deelvraag moet de relevantie worden nagegaan. Wat dan resulteert is een lijstje *noodzakelijke* deelvragen. Je vindt deze terug in paragraaf 2.4.

Eigenlijk bepaalt het *doel* wat de noodzakelijke deelvragen zijn. Wanneer het, zoals bij de hier als voorbeeld gegeven probleemstelling, gaat om een *beschrijving* van een zaak (de soorten beïnvloedingstechnieken), en het doel dus iets is als 'het geven van een overzicht van', doe je iets anders dan wanneer je doel het *evalueren* of *toetsen* van die technieken zou zijn. In het laatste geval, bij een toetsende probleemstelling, zou de centrale vraag kunnen luiden: 'Wat zijn de voor- en nadelen van de in het MKB door het management gebruikte beïnvloedingstechnieken?'

De laatste deelvragen in het rijtje dat we hiervoor noemden, zouden in dit geval wel van toepassing zijn.

Bij de selectie van deelvragen moet de schrijver een duidelijk beeld hebben van de manier waarop de deelvragen samenhangen met de probleemstelling. Alleen dan kan een doelgerichte tekst ontstaan: een tekst met een duidelijke

37

rode draad, waarin elk onderdeel een onmisbare schakel van het betoog van de schrijver vormt, met een duidelijk onderscheid in hoofd- en bijzaken.

Dit heeft direct te maken met de in de vorige paragraaf genoemde volgorde in de doelbepaalde handelingen: beschrijven, verklaren, toetsen, adviseren en voorschrijven. Deze begrippen zijn te gebruiken bij het bepalen van een goede hiërarchische volgorde in het rijtje deelvragen. Wanneer je bijvoorbeeld iets wilt adviseren (je uiteindelijke doel), helpt het je te beseffen dat je hetgeen waarover je adviseert eerst zult moeten beschrijven. Daarna zul je het moeten verklaren, en pas op basis van de daarna verrichte toetsing breng je je uiteindelijke advies uit. Dit betekent dat beschrijvende vragen voorafgaan aan verklarende, enzovoort.

Wees met het selecteren en ordenen van deelvragen wel steeds flexibel; iedere tekst (en iedere schrijver) stelt zijn eigen specifieke eisen. Alhoewel je vaak eerst iets moet beschrijven alvorens je het kunt verklaren of toetsen, zul je als schrijver niet altijd zowel willen verklaren áls toetsen áls adviseren... Zo zullen we hierna zien dat in de praktijk ook de volgorde probleemstelling-deelvragen niet heel strak hoeft te zijn; een vraagschema kan ook vanuit de deelvragen ontstaan.

In opleidingssituaties met een leerdoel wordt er van de schrijver vaak meer gevraagd dan een simpele beschrijving van feiten of in literatuur gevonden meningen. Het gaat om onderzoek van díe feiten en meningen die leiden tot een eigen, nieuwe afweging of interpretatie van gegevens. De deelvragen die je selecteert, geven je onderzoek de richting die je uit denkt te moeten gaan. Het vraagschema waarin ze worden opgenomen is dan ook geen lijst van afzonderlijk te beantwoorden vragen, maar een samenhangend geheel. Het volgende praktijkvoorbeeld laat zien hoe je dit kunt bereiken.

Een schrijver stelde een rapport op over 'Het vertellen van verhalen door kinderen', een onderzoeksgebied binnen de taalbeheersing van het Nederlands. Daarbij formuleerde hij de volgende reeks vragen:

1 Hoe vertellen kinderen verhalen?
2 Verschilt de manier van vertellen per leeftijdscategorie?
3 Welke verteltechnieken zijn er?
4 Welke technieken gebruiken kinderen?
5 Welk effect hebben de door kinderen gebruikte technieken op hun schoolprestaties?
6 Welke lesmethode voor Nederlands kan er in het basisonderwijs het best gebruikt worden?
7 Verschillen die van de technieken die volwassenen gebruiken?

De eerste vier vragen zijn beschrijvend van aard, vraag 5 is toetsend, vraag 6 is adviserend/voorschrijvend en vraag 7 is weer min of meer beschrijvend. De schrijver heeft geen ordening aangebracht, waardoor het lijkt alsof het om zeven gelijkwaardige vragen gaat. De uit deze reeks volgende tekst zal niet meer doen dan een algemene beschrijving van feiten presenteren aan een lezer die geen specifieke interesses heeft op dit gebied. Maar lezers willen vaak meer dan zo'n algemene beschrijving. Bijvoorbeeld een antwoord op de (beschrijvende) centrale vraag:

> 'Wat verandert er in het vertellen door kinderen als zij ouder worden?'

Dan zijn de vragen 1, 2 en 4 eerder als nadere omschrijving van 'verteltechnieken bij kinderen' op te vatten. Geschikte deelvragen zijn dan:

> Wat is het belang van het vertellen van verhalen voor een kind?
> Hoe is een vertelling opgebouwd?
> Welke soorten zijn er te onderscheiden?
> Wat is het verschil tussen verhalen verteld door volwassenen en die verteld door kinderen?
> Welke technieken zijn er bij het vertellen door kinderen te onderscheiden?
> Verschillen deze technieken per leeftijdscategorie?

De kans bestaat dat de lezer eigenlijk wil weten:

> 'Hoe beïnvloeden de verschillende verteltechnieken die kinderen per leeftijdscategorie gebruiken hun leerproces bij taal op school?'

Mogelijke deelvragen bij deze vraag naar een verklaring zijn:

> Wat is het belang van het vertellen van verhalen voor de ontwikkeling van een kind?
> Hoe is een vertelling opgebouwd?
> Welke soorten zijn er te onderscheiden?
> Welke technieken zijn er bij het vertellen door kinderen te onderscheiden?
> Welke verschillen zijn er in door kinderen gebruikte verteltechnieken per leeftijdscategorie?
> Welk effect heeft de gebruikte verteltechniek op het leerproces op school?
> Hoe verschilt dit effect per leeftijdscategorie?

Een derde mogelijkheid is de adviserende (of voorschrijvende) vraag:

> 'Moet er op school bij het vak Nederlands rekening worden gehouden met verschillen in verteltechniek per leeftijdscategorie?'

Dan zijn deelvragen denkbaar als:

> Wat is het belang van het vertellen van verhalen voor de ontwikkeling van een kind?
> Hoe is een vertelling opgebouwd?
> Welke soorten zijn er te onderscheiden?
> Welke technieken zijn er bij het vertellen door kinderen te onderscheiden?
> Welke verschillen zijn er in door kinderen gebruikte verteltechnieken per leeftijdscategorie?
> Welke rol speelt de verteltechniek in de ontwikkeling van de taal voor het leerproces per leeftijdscategorie?
> Is het mogelijk hiermee in het onderwijs bij het vak Nederlands rekening te houden?
> Welke eigenschappen moet een lespakket hiervoor in zich dragen?

Het antwoord op de centrale vraag zal hier uit een serie maatregelen bestaan. Die kunnen verder worden toegelicht aan de hand van vragen over onder andere de effectiviteit, de kosten en de neveneffecten van deze maatregelen.

In 1992 introduceerden Steehouder e.a. hun zogenoemde 'vaste structuren', die als vraagschema te gebruiken zijn. Mocht je zelf niet goed tot een eigen vraagschema kunnen komen, dan kunnen dergelijke vaste structuren een handig *hulpmiddel* zijn. Je moet ze wel met de nodige flexibiliteit hanteren; afhankelijk van je onderwerp én je doel kun je bijvoorbeeld vragen weglaten of toevoegen. Bovendien kun je de vaste structuren niet alleen gebruiken als basis voor het tekstplan van het hele literatuurverslag, maar ook voor de daarbinnen te onderscheiden paragrafen. Dit is bijvoorbeeld mogelijk bij meervoudige probleemstellingen, bestaande uit meer dan één centrale vraag.

De maatregelstructuur
Onderwerp: een maatregel
Wat is de maatregel precies?
Waarom is de maatregel nodig?
Hoe wordt de maatregel uitgevoerd?
Wat zijn de effecten van de maatregel?

De probleemstructuur
Onderwerp: een probleem
Wat is het probleem precies?
Waarom is het een probleem?
Wat zijn de oorzaken ervan?
Wat is ertegen te doen?

De handelingsstructuur
Onderwerp: een handeling
Wat is het doel van de handeling?
Wat zijn de voorwaarden ervoor?
Wat zijn de deelstappen van de handeling?
Hoe is de uitkomst ervan te controleren?

De evaluatiestructuur
Onderwerp: het geëvalueerde object
Wat zijn de relevante eigenschappen ervan?
Wat zijn de relevante beoordelingscriteria ervoor?
Wat zijn de positieve aspecten ervan?
Wat zijn de negatieve aspecten ervan?
Hoe luidt het totaaloordeel erover?

41

De onderzoeksstructuur
Onderwerp: een onderzoeksobject
Wat wordt er precies onderzocht?
Volgens welke methode?
Met welke resultaten?
Wat zijn de conclusies?

(Bron: Steehouder e.a., 2006)

De probleemstelling en de deelvragen-na-selectie vormen samen het uiteindelijke vraagschema voor de tekst. Dit vraagschema zal de basis vormen voor het in paragraaf 2.4 te behandelen globale tekstplan. Afhankelijk van de vraagstelling die je kiest, zal in elk van de beschreven gevallen een verschillende tekst ontstaan, dat wil zeggen: een tekst met een andere inhoud en opbouw, waarin hoofdzaken en bijzaken anders worden verwoord.

2.4 Het opstellen van het globale tekstplan

Uitgaande van het in de vorige activiteit ontwikkelde vraagschema is het niet moeilijk om tot een 'globaal tekstplan' voor de te schrijven tekst te komen. Dit globale tekstplan is een soort inhoudsopgave voor je literatuurverslag. Het bestaat uit de formulering van het onderwerp, het bijbehorende vraagschema: de probleemstelling en de deelvragen, én de bij de deelvragen tot dusverre te vinden antwoorden. In vergelijking met het vraagschema bevat het globale tekstplan dus ook de vermelding van het onderwerp en de (in steekwoorden geformuleerde) gevonden antwoorden bij deelvragen. Het antwoord op de probleemstelling komt pas als alle andere antwoorden de tekst tot een sluitend geheel hebben gemaakt (zie de volgende hoofdstukken).

Het doel, de doelgroep en de randvoorwaarden dienen nog steeds als uitgangspunt voor de inhoudskeuze. Het is van belang de inhoud van je literatuurverslag pas vast te stellen als je goed hebt nagedacht over dit belangrijke drietal. Dit wordt eenvoudiger als je zorgvuldig te werk bent gegaan bij het formuleren van de probleemstelling en deelvragen, ook al zijn die formuleringen nog steeds voorlopig. En als je genoeg geschikte bronnen gevonden en gelezen hebt.

Het is ook voor het tekstplan belangrijk onderscheid te blijven maken tussen de probleemstelling en de deelvragen. Dit onderscheid wordt duidelijker als je beseft dat de probleemstelling betrekking heeft op het onderwerp, en de deelvragen op onderdelen hiervan. De probleemstelling overkoepelt de hele tekst (in het geval van meerdere centrale vragen overkoepelen deze grote tekstgedeelten), en deelvragen overkoepelen kleinere tekstdelen. De deelvragen geven zo zelf al een grove indeling in hoofdstukken en soms zelfs in paragrafen aan. Als je over een goed vraagschema beschikt, is de stap naar een globaal tekstplan dus niet zo groot. Ter verduidelijking geven we hier een voorbeeld van een eenvoudig vraagschema.

Vraagschema
In het geval van de tekst over het toneel van Shakespeare uit paragraaf 2.3 zou het vraagschema er als volgt uit kunnen zien:

> **Probleemstelling**
> *Centrale vraag:*
> 'Hoe is het verschil in de receptie van de toneelstukken van William Shakespeare in de loop van de tijd te verklaren?'
> *Doelstelling:*
> Beschrijven welk effect het verschil in regelgeving (toen beheerst door koningin Elizabeth, tegenwoordig vrij van censuur) voor theater heeft op de ontvangst van dezelfde theaterstukken van Shakespeare door het publiek.

Deelvragen

Wie was William Shakespeare?

Hoe was het theater voor en in zijn tijd?

Welke soorten theater waren er?

Was er sprake van professioneel toneel? Zo ja, hoe was dit georganiseerd?

Hoe was de receptie van het toneelwerk van Shakespeare in zijn tijd?

Hoe was de opvoering van Shakespeare's stukken in zijn tijd georganiseerd?

Hoe is de opvoering van Shakespeare's stukken heden ten dage georganiseerd?

Hoe is de receptie van het toneelwerk van Shakespeare in onze tijd?

Wat is het verschil met de receptie in zijn eigen tijd?

Hoe is dit verschil te verklaren?

Het betreft een vraagschema met een 'verklarende probleemstelling'. Het bijbehorend globaal tekstplan ziet er als volgt uit:

Globaal tekstplan

'Hoe is het verschil in de receptie van de toneelstukken van William Shakespeare in de loop van de tijd te verklaren?'

Wie was William Shakespeare?

Beschrijving van zijn biografie in het kort.

Hoe was het theater voor en in zijn tijd?

Beschrijving tijdsgewricht.

Welke soorten theater waren er?

Beschrijving van de soorten podia.

Was er sprake van professioneel toneel? Zo ja, hoe was dit georganiseerd?

Beschrijving gildestructuur.

Hoe was de receptie van het toneelwerk van Shakespeare in zijn tijd?

Beschrijving censuurmaatregelen.

Hoe was de opvoering van Shakespeare's stukken in zijn tijd georganiseerd?

Beschrijving opvoering.

Hoe is de opvoering van Shakespeare's stukken heden ten dage georganiseerd?

Beschrijving theatergezelschappen.

43

> *Hoe is de receptie van het toneelwerk van Shakespeare in onze tijd?*
> Beschrijving: tekstvastere opvoeringen enz.
> *Wat is het verschil met de receptie in zijn eigen tijd?*
> Evaluatie na vergelijking: strenge regulering versus vrijheid van opvoering.
> *Hoe is dit verschil te verklaren?*
> Conclusie naar aanleiding van de vergelijking.

Zoals je ziet, zijn onder de deelvragen de voorlopig te vinden antwoorden gevoegd. Niet altijd zullen dergelijke antwoorden gemakkelijk te vinden zijn. Het globale tekstplan is nog voorlopig, want de bij de documentatie (hoofdstuk 3) al dan niet te vinden antwoorden op de deelvragen kunnen er nog toe leiden dat deelvragen weggehaald of toegevoegd moeten worden. Op die manier *stuurt* het globale tekstplan je verdere zoektocht door de literatuur. Let er wel goed op dat je steeds je bron er even bij noteert.

Het tekstplan kan naar aanleiding van de documentatie worden bijgesteld in een verder uitgewerkt tekstplan. Op basis van dát tekstplan gaat het schrijven zelf (zie hoofdstuk 4) lijken op het invullen van een raamwerk. Dat raamwerk moet natuurlijk niet al te star vastliggen: al schrijvend kun je ook nog op ideeën komen die wijziging ervan nodig maken. Het uitgewerkte tekstplan wordt in hoofdstuk 3 besproken.

Van globaal tot uitgewerkt tekstplan

De activiteiten die tijdens deze stap moeten worden uitgevoerd, zijn:

3.1 het verzamelen van materiaal;

3.2 het vastleggen van gevonden gegevens;

3.3 het doelgericht lezen van het materiaal;

3.4 het uitwerken van het globale tekstplan.

In de vorige twee stappen zagen we hoe je bij het aanvaarden van een schrijftaak je onderwerp kunt kiezen, en hoe je hierbij een probleemstelling met deelvragen formuleert. Ook werd aangegeven hoe je het vraagschema dat op die manier ontstaat, kunt omzetten in een globaal tekstplan. Dit globale tekstplan is vooral gebaseerd op de kennis die je als schrijver al van het onderwerp hebt opgedaan. In de volgende stap, stap 3, ga je door middel van (meer) documentatie na of je het antwoord in de juiste richting zoekt. Door in literatuur gericht naar de antwoorden bij je vraagschema te zoeken, kun je komen tot een uitgewerkt tekstplan. Het uitschrijven van een uitgewerkt tekstplan leidt tot het eerste concept van je tekst (zie hoofdstuk 4). Hoe preciezer je uitgewerkte tekstplan, hoe gemakkelijker het schrijfproces kan verlopen.

3.1 Het verzamelen van materiaal

Met behulp van het globale tekstplan zijn de deelvragen in een logische volgorde gezet. Deze vragen waren echter nog voorlopig van aard. Bij het opstellen van het globale tekstplan heb je een indicatie gekregen van het gemak waarmee de deelvragen beantwoord zullen kunnen worden. Om een uitgewerkt tekstplan op te stellen zul je deze eerste indrukken moeten gaan toetsen. Dit toetsen gebeurt bij een literatuurverslag vanzelfsprekend aan de hand van literatuuronderzoek.

Voor literatuuronderzoek geldt een belangrijke waarschuwing: begin niet aan een uitvoerige documentatie voordat je je goed op je schrijftaak hebt georiënteerd en een goed globaal tekstplan hebt. Heel wat verslagen, scripties, artikelen en andere publicaties hebben onnodig veel tijd gekost omdat de schrijver in het wilde weg alles ging lezen wat hij maar over zijn onderwerp te pakken kon krijgen, zonder zich af te vragen of dat binnen de opzet van zijn taak wel nodig was.

Ga daarom voorafgaand aan het literatuuronderzoek aan de hand van je globale tekstplan zo goed mogelijk na wat voor gegevens je nodig hebt:
– antwoorden op deelvragen waarop je nog geen antwoord hebt;
– gegevens ter verduidelijking van bepaalde antwoorden;
– gegevens ter ondersteuning van bepaalde antwoorden (feiten of uitspraken van deskundigen).

Stel voor jezelf (na een inventarisatie van deze 'lege plekken' in je tekstplan) een aantal *documentatievragen* op, op basis waarvan je gerichter kunt zoeken. Het beste kun je hiervoor naar een gespecialiseerde bibliotheek gaan (bijvoorbeeld die van de desbetreffende opleiding, universiteit of faculteit). De keuze voor een bibliotheek is afhankelijk van je onderwerp. Je bekendheid met de werkwijze van een bibliotheek is niet belangrijk; iedere bibliotheek heeft medewerkers die je graag zullen helpen. Maar zorg wel dat je direct bekend raakt met de (keur aan) *mogelijke* bronnen.

3.1.1 Algemene werken

Je kunt je globaal oriënteren aan de hand van algemene werken. Daarvoor moet je je onderwerp in trefwoorden kunnen omschrijven. Met behulp hiervan kun je je zoektocht beginnen in de *trefwoordencatalogus*. Deze geeft per trefwoord verwijzingen naar verwante trefwoorden die voor je onderzoek interessant kunnen zijn.

3.1.2 Bestaande publicaties

Naast algemene werken kunnen ook bestaande publicaties over het onderwerp een hulp zijn bij een oriëntatie. Voor actuele publicaties kun je de recente nummers van vaktijdschriften raadplegen.

Om minder recente tijdschriftartikelen, rapporten en congresverslagen op te sporen kun je *indexen* (meestal voor of achter in een gebonden jaargang opgenomen) gebruiken. De *KWIC-index* ontsluit de artikelen voor een aantal in Nederland uitgegeven tijdschriften. Wil je nagaan hoe op een basisartikel van een auteur is voortgebouwd door anderen, dan kun je de *Science Citation Index* gebruiken.

3.1.3   Overzichtspublicaties

Om snel een goed beeld te krijgen van de stand van zaken rond je onderwerp moet je zoeken naar overzichtspublicaties: recente artikelen of boeken met titels als: *Advances in ...*, *Annual review of ...* Zo'n overzichtsartikel vind je vaak als inleiding in een referaattijdschrift. Ook congresverslagen bieden meestal een handig overzicht van bestaande kennis.

Als de globale oriëntatie geslaagd is, heb je een aantal titels van werken die iets met je onderwerp te maken kunnen hebben. Het zal blijken dat lang niet alle titels die je hebt gevonden direct beschikbaar zijn. We raden je aan in een zo vroeg mogelijk stadium met documenteren te beginnen. In veel gevallen zul je het door jou gezochte werk pas later kunnen ophalen of elders moeten zoeken.

De werken die je tot je beschikking kunt krijgen, hoef je nog niet intensief – dat wil zeggen van het begin tot het eind – te gaan lezen. Het kan immers zijn dat je later besluit sommige werken niet te gebruiken. Tijdens de fase van oriëntatie lees je de werken alleen nog maar oriënterend. Je 'scant' ze op titels en eerste en laatste alineazinnen (zie paragraaf 3.3).

3.2 Het vastleggen van gevonden gegevens

Het vastleggen van de gevonden gegevens begint al bij de globale oriëntatie. Dit kan in de vorm van aantekeningen, citaten, samenvattingen of kopieën.

Vastleggen is om twee redenen van belang. Ten eerste is het onmogelijk alle gegevens te onthouden. Daarom is het belangrijk te weten waar je ze terug kunt vinden. Zo kun je je later op het schrijven concentreren zonder dat je steeds iets hoeft op te zoeken. Ten tweede moet in je literatuurverslag duidelijk zijn waar je je op welke bronnen baseert. De wet verbiedt het ongevraagd overnemen van letterlijke tekst van een ander (plagiaat), en een literatuurverslag dat alleen bestaat uit citaten brengt niets nieuws. Ook omwille van de betrouwbaarheid en de controleerbaarheid is het vermelden van de vindplaats van je brongegevens van belang.

De gegevens blijven het meest overzichtelijk als je ze op *kaartjes* noteert. Dat lijkt omslachtiger dan het is. Of je nu aantekeningen in een schrijfblok of op losse velletjes (bijvoorbeeld een kwart van een A4-vel) maakt, levert in tijd en moeite geen verschil. Het voordeel van velletjes of kaartjes is dat je deze later in iedere gewenste volgorde kunt leggen om je verhaal te structureren. Met aantekeningen in een schrijfblok of op de computer is het vaak moeilijk je los te maken van de volgorde waarin de aantekeningen genoteerd staan.

47

We adviseren het gebruik van twee aparte kaartsystemen: één voor bibliografische gegevens en één voor inhoudelijke kaartjes. Daarnaast kun je je eigen ideeën op aparte eigen kaarten noteren.

1 *Bibliografische kaartjes*
Op bibliografische kaartjes noteer je de complete titelbeschrijving van één boek, tijdschriftartikel of bundel. Door de kaartjes alfabetisch op auteur te ordenen kun je later gemakkelijk een literatuurlijst samenstellen. Het is handig ook de vindplaats (het catalogusnummer bijvoorbeeld) te noteren, voor het geval je het werk later weer nodig hebt. Zie voor de exacte notatiewijze paragraaf 5.1.8.

2 *Inhoudelijke kaartjes, geordend op trefwoord*
Op inhoudelijke kaartjes komen korte aantekeningen, bijvoorbeeld een kleine samenvatting van een relevant deel van het werk. Letterlijk overschrijven van stukken is af te raden. Dit vergroot de kans dat er later in je literatuurverslag tekst voorkomt die oorspronkelijk van iemand anders is, zonder dat dit met een citaat is aangegeven. Noteer citaten alleen als ze een zeer treffende formulering zijn van een autoriteit op het vakgebied. Noteer altijd het paginanummer van een citaat en zet het citaat zelf tussen aanhalingstekens. Op het kaartje kun je desgewenst verwijzen naar een langere samenvatting of een kopie elders in je documentatiesysteem. Vergeet niet een korte aanduiding te geven van het werk waaruit de gegevens komen. Zet ten slotte onder elk inhoudelijk kaartje wat je van de gevonden informatie vindt (plaats eventueel kanttekeningen, noteer waar in je literatuurverslag het citaat of de parafrase van pas kan komen, vermeld waarom je het genoteerde interessant of passend vindt, enzovoort).

3 *Kaarten met eigen ideeën*
Op dit soort kaarten zet je je eigen gedachten, ideeën of ervaringen. Je kunt ook de vragen die bij je rijzen op dit type kaarten noteren, bijvoorbeeld: 'Er wordt nu wel steeds beweerd dat het werk van Cézanne tijdens zijn leven werd misverstaan en ondergewaardeerd, maar waaruit blijkt dit precies?' De kaarten met eigen ideeën kunnen goed van pas komen bij het uitzetten van de lijn van je betoog. Het stuk dat je schrijft, is tenslotte jóuw literatuurverslag, gebaseerd op jóuw probleemstelling.

3.3 Het doelgericht lezen van het materiaal

De oriëntatie op het materiaal, inclusief het oriënterend lezen, resulteert als het goed is in een stapeltje kaarten met titels van werken die je bij je literatuurverslag als bron kunt gebruiken. Nu pas is het tijd om na te gaan in hoeverre die werken ook echt bruikbaar zijn voor de *probleemstelling* van je literatuurverslag. Je bent immers op zoek naar het antwoord op een vraag en daarbij behorende deelvragen.

Op basis van de antwoorden die je op die manier bij je vraagschema uit stap 2 vindt, kun je je globale tekstplan uitbreiden tot een uitgewerkt tekstplan. Om gericht naar antwoorden te kunnen zoeken behandelen we hierna een methode van doelgericht lezen.

3.3.1 Lezen in drie rondes

Voor het verzamelen van informatie voor je literatuuronderzoek is het van belang doelgericht te kunnen lezen.

Doelgericht lezen gaat uit van de drie door Steehouder e.a. (2006: 378) omschreven leesrondes, die bruikbaar zijn in verschillende situaties:

1 oriënterend lezen om een eerste indruk te krijgen van informatie;
2 globaal lezen om informatie te verwerken (bijvoorbeeld bij een afstudeerverslag);
3 intensief lezen (bijvoorbeeld ter voorbereiding op een tentamen).

49

Ronde 1: oriënterend lezen

De eerste leesronde, oriënterend lezen, heeft als doel een eerste indruk te krijgen van de behandelde onderwerpen in en de opbouw van een tekst. Dit kan nuttig zijn wanneer je literatuur verzamelt voor een bepaald onderzoek en nog niet weet of de betreffende publicatie iets te bieden heeft. Het gaat er bij oriënterend lezen om zo snel mogelijk te achterhalen waar een tekst over gaat. Je leest zodanig dat je het onderwerp van de tekst en de vragen kunt formuleren. Dit betekent dat je de titels, tussenkopjes, inleiding en slot, inhoudsopgave en samenvatting leest. Blijkt de tekst aan te sluiten bij dat wat je zocht en ga je over tot een tweede leesronde, dan heb je de tekst al in grote lijnen geanalyseerd. Dit kan het zoeken naar meer uitgewerkte gegevens aanzienlijk vergemakkelijken.

Ronde 2: globaal lezen

Bij globaal lezen ga je iets dieper op de stof in: naast het onderwerp en de vragen komen ook de antwoorden op die vragen aan de orde. Deze zijn vaak uitgebreid geformuleerd met toelichtingen, argumentaties en voorbeelden. Bij het formuleren van de gevonden antwoorden op deelvragen geldt weer dat dit zodanig moet gebeuren dat ze exact de bedoeling van de tekst weergeven en logisch aansluiten op de vraag waarbij ze horen. Je vindt dergelijke deelvraag-antwoorden via inleidingen, afsluitingen en tussenkopjes. Verder bieden letters, cijfers, onderstrepingen en cursiveringen vaak houvast.

Ronde 3: intensief lezen

Ben je intensief aan het lezen, dan wil je grondig kennisnemen van de inhoud van de tekst. Naast het onderwerp, de vragen en de antwoorden probeer je nu ook te achterhalen welke subvragen er bij de gevonden antwoorden worden gesteld, welke antwoorden hier weer bij horen, enzovoort. Subvragen onderscheiden zich van de probleemstelling en deelvragen. Ze sluiten niet direct aan bij het onderwerp, maar zijn duidelijk gekoppeld aan de antwoorden bij de deelvragen.

Hoe intensief je wilt lezen, is afhankelijk van je doel, en de drie leesrondes hoeven niet altijd allemaal te worden uitgevoerd. De laatste ronde is voor de voorbereiding op een tentamen heel geschikt, maar komt bij het maken van een literatuurverslag maar weinig voor.

3.3.2   Tekstplan van een gelezen tekst

Het tekstplan dat je van een gelezen, tekst kunt distilleren, is eigenlijk niet meer dan een verkorte samenvatting van de gelezen tekst. Op basis van de structuur van de tekst zoek je de probleemstelling en de belangrijkste deelvragen met hun antwoorden. Het tekstplan dat resulteert is een schematische weergave van de inhoud van de gelezen tekst, vergelijkbaar met een meer of minder uitgebreide inhoudsopgave.

Je maakt zo'n tekstplan van een gelezen tekst door in de tekst te zoeken naar:
a het onderwerp;
b de centrale vraag of probleemstelling waar de tekst om draait;
c de deelvragen;
d de antwoorden op de deelvragen en op de probleemstelling.

ad a   Het onderwerp

Aanwijzingen voor het onderwerp vind je in:
– de inhoudsopgave;
– de titel en/of ondertitel;
– de inleiding;
– de tussenkoppen of titels;
– het slot;
– de samenvatting (aan het begin of het einde van de tekst);
– eventueel de tekst op de omslag.

ad b   De centrale vraag of probleemstelling

Je vindt de centrale vraag van een tekst door na te gaan welke vraag de schrijver zich over het onderwerp stelt. Deze vraag is vaak niet expliciet in de tekst te vinden, maar je kunt hem meestal afleiden uit het antwoord dat de schrijver in de inleiding, conclusie of samenvatting geeft.

ad c   De deelvragen

Ook de deelvragen zul je waarschijnlijk niet expliciet in de tekst tegenkomen, maar de antwoorden hierop waarschijnlijk wel. Je kunt per hoofdstuk, paragraaf en zelfs per alinea nagaan welke vraag er aan de orde is. Je moet deze dan zelf formuleren. Dit kun je het beste doen in een 'open' vraag, dus een vraag die begint met 'wie', 'wat', 'welke', 'waarom', 'waarmee', 'hoe', enzovoort. Doe dit zo bondig en exact mogelijk.

ad d   De antwoorden

De antwoorden die de schrijver op de vragen geeft, wijzen als het goed is in de richting van de probleemstelling. Ze geven daarnaast de invalshoek van de schrijver weer. Het tekstplan dat je distilleert, hoeft niet noodzakelijkerwijs het tekstplan te zijn dat de schrijver van de tekst gebruikt heeft. Het kan zijn dat zijn tekstplan er oorspronkelijk anders uitzag, maar dat dit al schrijvende veranderde. Ook kan het zijn dat de schrijver geen expliciet tekstplan gebruikt heeft.

51

3.4 Het uitwerken van het globale tekstplan

Wanneer je voldoende informatie vanuit de documentatie hebt verzameld, kun je je globale tekstplan uitwerken. Het uitgewerkte tekstplan is een aangeklede versie van het globale tekstplan dat in hoofdstuk 2 werd beschreven. Eigenlijk is het een korte samenvatting van de tekst die je moet schrijven. Het geeft naast onderwerp, probleemstelling en geselecteerde deelvragen ook de in de literatuur gevonden antwoorden bij die vragen. Daarnaast bevat het de eventuele vragen die naar aanleiding van die antwoorden kunnen rijzen, met weer de daarbij behorende antwoorden. Deze vragen naar aanleiding van antwoorden op deelvragen noemen we 'subvragen'.

Voor het uitgewerkte tekstplan gelden de volgende eisen:
–   alle vragen over het onderwerp moeten aan de orde komen;
–   alle vragen die aan de orde komen moeten relevant zijn;
–   alle vragen moeten volledig en voldoende uitgewerkt beantwoord worden.

Belangrijk is te beseffen dat de korte samenvatting die we het uitgewerkte tekstplan noemden, een zogenoemde 'indicatieve' samenvatting is. Dat wil zeggen dat je bij de in bronnen gevonden antwoorden steeds heel consequent de vindplaats noemt: auteur, jaartal en paginanummer. Aan de hand van de eerder gemaakte bibliografische kaarten is dan altijd de bron terug te vinden, en je voorkomt plagiaat. In paragraaf 5.1.8 lees je meer over de notatiewijze. Je parafraseert de tekst van bronauteurs zo veel mogelijk, maakt er je eigen verhaal van (met bronvermelding dus), en citeert alleen wanneer een uitspraak een deel van je tekst bij uitstek illustreert.

Als je je globale tekstplan maakt, weet je vaak al hoe je de probleemstelling en deelvragen van je literatuurverslag zult gaan beantwoorden. Bij subvragen liggen de antwoorden van tevoren meestal minder vast; deze moet je vaak gericht zoeken en noteren. In het algemeen kun je bij het noteren van de antwoorden in vier stappen te werk gaan:

1 Inventariseer de mogelijke antwoorden.
2 Selecteer uit de mogelijkheden dié antwoorden die je in je literatuurverslag gaat behandelen.
3 Orden de geselecteerde antwoorden.
4 Voeg – zo nodig – subvragen toe.

ad 1 Het inventariseren van antwoorden

Bij veel vragen zijn meerdere antwoorden mogelijk. Dat geldt zeker als je *open vragen* hebt gesteld, zoals we adviseerden. Het is van belang dat je op basis van de literatuur in eerste instantie zo veel mogelijk antwoorden probeert te inventariseren. Realiseer je dat er vaak *vaste antwoordpatronen* zijn die bij bepaalde vragen aansluiten. Zo kun je bij de beschrijving van een voorstel achtereenvolgens de voor- en nadelen aan de orde stellen. Schrijf je over een bekende filmregisseur, dan ligt een indeling in soorten van de door hem gemaakte films voor de hand.

Noteer de antwoorden die je tijdens je inventarisatie vindt nog niet in je globale tekstplan, maar schrijf ze op een apart vel papier. Tijdens de selectie (zie ad 2 hierna) kun je uit deze lijst putten.

ad 2 Het selecteren van antwoorden

Voor de selectie van antwoorden bij de vragen uit je globale tekstplan kies je uit de verschillende gevonden mogelijkheden alleen de antwoorden die je serieus in je literatuurverslag gaat behandelen. De andere bewaar je om ze later nog 'voor de volledigheid' te kunnen noemen. Ga echter voorlopig alleen verder met die antwoorden waarop je in je literatuurverslag dieper in wilt gaan.

Er zijn verschillende criteria waarmee je de selectie van antwoorden kunt uitvoeren. Steehouder e.a. noemen de volgende als de belangrijkste.

De geloofwaardigheid van het antwoord
Wanneer je een tekst schrijft over beursprognoses en je centrale vraag is: 'Welke factoren hebben invloed op de koersen van aandelen op de beurs?', dan kun je tot het antwoord komen: 'het vertrouwen in de monarchie'. Hoewel het best mogelijk is dat dit door sommige mensen als belangrijke factor gezien wordt, zullen de meeste experts op het gebied van beursprognoses dit niet geloofwaardig vinden. Een meer geloofwaardig antwoord is 'het spel van vraag en aanbod'. Alleen als je echte volledigheid nastreeft of je centrale vraag verandert in: 'Welke factoren hebben volgens leken invloed op de beurs?', zou je het monarchie-antwoord kunnen noemen.

Het belang van het antwoord voor je doel
Wanneer je een folder schrijft voor de campagne 'Kies bewust', die als doel heeft mensen over te halen gezonder te gaan eten, zal bij de vraag 'Wat zijn de voordelen van het kopen van producten met het label "Kies bewust"?' het antwoord 'dit zijn producten waarin minder zouten, suikers en onverzadigde vetten verwerkt zijn dan in vergelijkbare producten' wél behandeld worden, en het antwoord 'het label bevordert de winst van de fabrikant' niet. Maar in een handboek voor de opleiding Diëtiek zou de keuze van mogelijke antwoorden anders uitvallen, en zouden ook de nadelen van een dergelijk label aan de orde komen.

Het belang van je doelgroep
In een lezing voor wijkbewoners over milieuvervuiling kun je op de vraag 'Wat is er tegen milieuvervuiling te doen?' antwoorden: 'het ontwikkelen van zuiniger auto's'. Wil je met de lezing echter een bijdrage leveren aan het principe van 'Een beter milieu begint bij jezelf', dan is het waarschijnlijk toch beter om je te concentreren op oplossingen die meer binnen het bereik van je doelgroep liggen, zoals gescheiden afvalinzameling, zuinig stoken en voorkomen van verspilling van water.

ad 3   Het ordenen van de geselecteerde antwoorden
Net als de vragen uit het vraagschema voor je literatuurverslag zullen ook de antwoorden op een logische manier moeten worden geordend. Dit is vooral van belang als een vraag meerdere antwoorden heeft (bijvoorbeeld bij een vraag naar voordelen, nadelen, oorzaken of oplossingen) of als een antwoord uit meerdere onderdelen bestaat (bijvoorbeeld bij een vraag naar de verschillende fasen in een te beschrijven proces).

Het ordenen gebeurt door het inpassen van de gevonden antwoorden in het eerder opgestelde globale tekstplan. Door de juiste informatie bij de 'juiste' vraag te zetten werk je je globale tekstplan uit tot een uitgewerkt tekstplan. Daarvan ligt zowel de volgorde van de vragen als de logische volgorde van antwoorden niet helemaal vast; bij het schrijven van het eerste concept kan het nodig blijken hiervan af te wijken.

ad 4   Het toevoegen van subvragen aan de antwoorden

Om een uitgewerkt tekstplan verder af te maken kun je de antwoorden voorzien van subvragen. Dergelijke subvragen geven aan in welke richting je de antwoorden verder kunt gaan toelichten of uitwerken (Steehouder e.a.). Soms is het handiger zelf vragen te bedenken om een antwoord uit te werken. Ook hier kun je weer te werk gaan volgens het principe 'eerst inventariseren, dan pas selecteren'. Voor het inventariseren kun je dan de vragenlijst uit paragraaf 2.4 gebruiken.

We werken hierna het eerder gegeven voorbeeld verder uit.

> **Uitgewerkt tekstplan**
> 'Hoe is het verschil in de receptie van de toneelstukken van William Shakespeare in de loop van de tijd te verklaren?'
>
> *Wie was William Shakespeare?*
> Geboren in 1564 in Stratford-upon-Avon. Vader was handschoenmaker, moeder boerendochter. Getrouwd met Anne Hathaway, drie kinderen. Gestorven 1616. Schreef eerst historische trilogieën, daarna gedichten en komedies. Later de bekende 'dark comedies'. Enz.
> *Hoe was het theater voor en in zijn tijd?*
> Beschrijving tijdsgewricht: Renaissance, Italiaanse humanisten, koningin Elizabeth, adel (Hartnoll, 2002: 754). Kenmerken van theaterstukken, met name die van Shakespeare (Braat, 1990: 18).
> *Welke soorten theater waren er?*
> Beschrijving podia:
> – openluchttheater: jaartal invoering, soort publiek, invloed;
> – overdekt theater: jaartal invoering, soort publiek, invloed (Kinney, 2003: 75).
> *Was er sprake van professioneel toneel? Zo ja, hoe was dit georganiseerd?*
> Acteursgezelschappen:
> – Lord Admiral's men;
> – The Earl of Worcester's men;
> – Shakespeare's company.

Beschrijving gildes, invloed van de aandeelhouders, enz.

Hoe was de receptie van het toneelwerk van Shakespeare in zijn tijd?

Beschrijving vraag publiek om zuivering, aanpassingen enz.

Hoe was de opvoering van Shakespeare's stukken in zijn tijd georganiseerd?

Beschrijving opvoering door uitsluitend mannen, belang van de kostuums, enz.

Hoe is de opvoering van Shakespeare's stukken heden ten dage georganiseerd?

Beschrijving theatergezelschappen van tegenwoordig en hun uitvoeringen.

Hoe is de receptie van het toneelwerk van Shakespeare in onze tijd?

Beschrijving: tekstvastere opvoeringen enz.

Wat is het verschil met de receptie in zijn eigen tijd?

Evaluatie na vergelijking: strenge regulering versus vrijheid van opvoering.

Hoe is dit verschil te verklaren?

Conclusie naar aanleiding van de vergelijking.

De mate waarin je je tekstplan moet uitwerken, hangt in de eerste plaats af van de omvang en complexiteit van het literatuurverslag. Een tweede factor is de vraag welke werkwijze je het meest ligt: tot in details vooraf plannen, of op basis van een globaal plan aan het werk gaan. Het hier gegeven voorbeeld is aan de korte kant.

Heb je te maken met een reeks antwoorden op een vraag waarbij je telkens dezelfde set subvragen kunt beantwoorden, zoals wanneer je een overzicht geeft van een aantal methoden, dan zou je hiervoor de in paragraaf 2.3 gegeven vaste structuren kunnen gebruiken. Bij – in dit geval – elke methode zou de vaste reeks subvragen dan kunnen beginnen met *Hoe werkt de methode?*, *Wat is het resultaat?*, *Wat zijn de voor- en nadelen?* Zo'n vaste set vragen zorgt voor een goede samenhang in je tekst en geeft bovendien een redelijke garantie dat je niets over het hoofd ziet.

55

Bijlage I
Checklist van bij de voorbereiding uit te voeren activiteiten

Stap 1: van opdracht tot onderwerp

Activiteit 1.1: het kiezen van het onderwerp

Kies een onderwerp voor je literatuurverslag en formuleer dit zo exact en bondig mogelijk. Houd rekening met:
– je eigen interesse en/of voorkennis;
– je doel;
– je doelgroep;
– de randvoorwaarden (leerdoel of doel van de opdrachtgever, methode, tijdsplanning, deadline, omvang en lay-out).

Is je doel bijvoorbeeld het geven van een vergelijking van verschillende theorieën over een bepaald onderwerp, dan moet je je afvragen of:
– dit de lezer interesseert;
– je die theorieën allemaal beschikbaar hebt;
– er wel voldoende tijd is voor een goede vergelijking.

Blijkt dat je onderwerp te ruim of niet exact genoeg geformuleerd is, herformuleer dit dan (eventueel in samenspraak met de opdrachtgever).

Activiteit 1.2: het bepalen van het doel

Bedenk met welk doel je het literatuurverslag schrijft. Stel jezelf daarvoor de volgende vragen:
– Wat wil ik bij mijn lezers bereiken?
– Wil ik ze informeren over iets?
– Wil ik ze overtuigen van iets?
– Wil ik dat ze in actie komen?

Bepaal daarna hoe je het hiervoor genoemde wilt bereiken door een antwoord te geven op de vragen:
- Hoe wil ik bij de doelgroep overkomen?
- Hoe wil ik mijn doelgroep tegemoet treden?
- Hoe spreek ik mijn doelgroep aan?

Bij het vaststellen van je doel is een zekere bescheidenheid geboden. Factoren bij de lezer als gebrek aan belangstelling, een tekort aan voorkennis, mogelijke vooroordelen, selectieve waarneming en eventuele weerstanden kunnen een averechts effect sorteren als je je doelen te hoog stelt. Houd bij het bepalen van je doel daarom ook rekening met de 'doelen' van je doelgroep (zie activiteit 1.3).

Activiteit 1.3: het omschrijven van de doelgroep

Breng je doelgroep zo goed mogelijk in kaart: wat zijn de gemeenschappelijke kenmerken van de mensen die tot je doelgroep behoren? Let op leeftijd, opleiding, politieke en godsdienstige overtuiging, beroep en inkomen. Bestaat je doelgroep alleen uit een docent, vorm je dan een beeld van diens kenmerken en interesses.

Ga bij je doelgroep het volgende na:
- Wat is de betrokkenheid van de doelgroep bij het onderwerp waarover je schrijft?
- Welke voorkennis heeft de doelgroep?
- Hoe kijkt men tegen het onderwerp aan?
- Is men bekend met de vaktermen die horen bij het onderwerp?
- Wat is het nut van de tekst voor de doelgroep? (Hoe gebruikt men de tekst: als bron van gegevens, als inleiding op een discussie, als informatie voor het nemen van een beslissing?)
- Hoe kijkt de doelgroep aan tegen jou als schrijver? Ziet men je als deskundige of als leek?
- Hoe kijk jij tegen de doelgroep aan? Verwacht je bijval, kritiek, afkeuring?

Niet alleen in de fase van voorbereiding is de doelgroep belangrijk. Het is van belang in alle stadia van het schrijven van je tekst rekening te houden met de doelgroep; vanaf de keuze van het onderwerp tot de uiterlijke vormgeving van het literatuurverslag.

Activiteit 1.4: het vaststellen van de randvoorwaarden

Ga na welke specifieke randvoorwaarden er gelden voor je literatuurverslag door antwoord te geven op de vragen:

- Is er iets voorgeschreven voor wat betreft de toe te passen methode, de te hanteren theorieën, de te gebruiken apparatuur?
- Hoeveel tijd kun je aan de schrijftaak besteden? Wanneer moet het literatuurverslag klaar zijn?
- Welke eisen worden gesteld aan de omvang van de tekst?

Stap 2: van onderwerp tot globaal tekstplan

Activiteit 2.1: het verzamelen van vragen

Doorloop de lijst met standaardvragen uit paragraaf 2.1.2. Noteer elke vraag die direct van toepassing lijkt op je onderwerp. Lees, lees, lees in (hand)boeken, bundels en tijdschriften. Geef, in de vorm van één of meer trefwoorden, per genoteerde vraag een voorlopig antwoord. Vat de lijst niet beperkend op, maar als stimulans voor het denkproces. Wanneer er bij het doorlopen ervan andere vragen bij je opkomen, moet je die zeker noteren.

Activiteit 2.2: het formuleren van de probleemstelling

Formuleer één centrale vraag bij je onderwerp. Doe dit zo exact en bondig mogelijk, liefst in de vorm van één zelfstandig naamwoord met zo nodig één of meer preciserende toevoegingen. Deze vraag vormt de probleemstelling voor je literatuurverslag. Probeer elke term in je probleemstelling al zo nauwkeurig mogelijk te formuleren en noteer deze definities apart onder je probleemstelling. Houd rekening met de specifieke randvoorwaarden die er gelden en overleg met de opdrachtgever als er onduidelijkheden bestaan. Kies liever voor een goed afgeronde beantwoording van een beperkte probleemstelling dan voor een half afgemaakt ambitieus project dat je andere taken hindert.
Beschouw je probleemstelling nog als voorlopig. Het kan nodig zijn deze bij te stellen naar aanleiding van je deelvragen en de antwoorden die je daarbij vindt.

Activiteit 2.3: het selecteren van deelvragen

Selecteer bij de geformuleerde probleemstelling (activiteit 2.2) deelvragen uit de lijst met vragen die je tijdens activiteit 2.1 verzameld hebt. Streep door wat toch niet bij de probleemstelling past, en zet bij elkaar wat bij elkaar hoort. Let erop dat de deelvragen samenhangen met de probleemstelling (gebruik hiervoor zo nodig de vaste structuren in paragraaf 2.3), en houd bij het selecteren rekening met de randvoorwaarden en de opdracht: de vragen die je gaat beantwoorden, moeten passen bij het (leer)doel dat de opdrachtgever met het literatuurverslag heeft. Een beschrijving van simpele feiten is vaak niet genoeg; meestal wordt vanuit een bepaalde invalshoek een eigen interpretatie van gegevens gevraagd.

Het resultaat van je selectie is een vraagschema voor je tekst. Dit bestaat uit achtereenvolgens:

- de probleemstelling;
- de geselecteerde deelvragen (in hun logische volgorde);
- de (voorlopige) definities van de belangrijkste termen die in de vragen voorkomen (wat versta jij in je literatuurverslag bijvoorbeeld precies onder 'macht'?).

Houd er rekening mee dat veel definities pas tijdens de documentatiefase (activiteiten 3.1, 3.2 en 3.3) gevonden worden. Je kunt het vraagschema met de definities voorleggen aan de opdrachtgever, zodat zo nodig nog enige bijsturing kan plaatsvinden.

Activiteit 2.4: het opstellen van het globale tekstplan

Werk het vraagschema voor je literatuurverslag uit tot een globaal tekstplan; een globale inhoudsopgave voor de tekst. Noteer (zie het voorbeeld in paragraaf 2.4) achtereenvolgens:

- het onderwerp;
- de probleemstelling;
- de deelvragen;
- de bij het verzamelen van deelvragen gevonden antwoorden.

Beschouw de antwoorden op deelvragen nog als voorlopig en besteed hier nu nog geen extra aandacht aan.

Stap 3: van globaal tot uitgewerkt tekstplan

Activiteit 3.1: het verzamelen van materiaal

Een globale oriëntatie leidt tot een globale inventarisatie van het materiaal dat je voor je literatuurverslag tot je beschikking hebt. Het gelijktijdig uitvoeren van activiteit 3.2 (vastleggen van gegevens op kaartjes) zorgt ervoor dat je eenmaal gevonden gegevens later gemakkelijk terug kunt vinden.

Noteer aan de hand van je globale tekstplan welke gegevens je (nog) nodig hebt:

- antwoorden op bepaalde vragen;
- gegevens ter verduidelijking van bepaalde antwoorden;
- gegevens ter ondersteuning van bepaalde antwoorden (feiten of uitspraken van deskundigen);

– precieze definities of omschrijvingen van in het tekstplan opgenomen termen.

Stel een aantal *documentatievragen* voor jezelf op, op basis waarvan je gerichter kunt zoeken. Verzin daarnaast trefwoorden waaronder je belangrijke informatie zou kunnen vinden.

Neem de tijd om in de bibliotheek naar literatuur te zoeken. Stort je niet direct op de bekende werken, maar kijk ook eens naar geheel nieuwe bronnen en visies.

Schrijf de titels van boeken, tijdschriftartikelen en bundels die van belang lijken voor je literatuurverslag op bibliografische kaartjes (zie paragraaf 3.2). Lees de gevonden werken oriënterend. Noteer van interessante pagina's het nummer op een kaart.

Blijkt uit het oriënterend lezen van een werk dat dit geschikt is voor je onderzoek, gebruik dan de literatuurlijst achter in dat boek om andere publicaties te vinden. Overleg problemen tijdens de oriëntatie tijdig met je opdrachtgever; als je op het verkeerde spoor zit, kost het veel tijd een en ander te herstellen.

Met het oog op de randvoorwaarden is het raadzaam bij deze activiteit enkele grenzen te hanteren. Je kunt je bijvoorbeeld beperken tot de laatste tien jaar, of tot bepaalde bronnen. Je zult je begrenzing wel moeten kunnen motiveren: waarom is juist de literatuur van de laatste tien jaar interessant voor je onderwerp, enzovoort. Bij opdrachten met een leerdoel kunnen zulke grenzen ook door de opdrachtgever worden aangereikt.

Activiteit 3.2: het vastleggen van gevonden gegevens

Leg de titels van de boeken, tijdschriftartikelen en (artikelen uit) bundels vast op bibliografische kaartjes (of blaadjes, bijvoorbeeld een kwart van een A4-vel). Doe dit volledig, zodat je later voor het maken van je literatuuropgave de bron niet opnieuw hoeft op te zoeken.

De regels voor titelbeschrijvingen verschillen per vakgebied. Het belangrijkste kenmerk van goede titelbeschrijvingen is dat ze consequent gebruikt worden en volledig zijn. Vraag een opdrachtgever eventueel naar de geldende conventies. In paragraaf 5.1.8 geven we een notatiewijze voor titelbeschrijvingen.

Leg alles wat enigszins van belang lijkt voor je literatuurverslag kort vast op een *inhoudelijk* kaartje. Gebruik voor ieder idee, iedere gedachte of beschrijving een apart kaartje. Noteer daarbij steeds de titel en het jaartal van het boek of artikel waaruit deze komt en noteer je eigen commentaar.

Activiteit 3.3: het doelgericht lezen van het materiaal

Lees de werken die je tijdens je oriëntatie gevonden hebt eerst alleen *oriënte-rend*. Houd de vragen waarop je een antwoord zoekt in gedachten en bekijk inhoudsopgaven, samenvattingen, conclusies en inleidingen.

Lijkt een boek of artikel inderdaad in te gaan op één of meer van je vragen en passen de antwoorden in je verhaal, lees het werk dan ook *globaal*. Bekijk de belangrijkste delen van de voor jou belangrijke hoofdstukken, paragrafen en alinea's: het begin en het eind ervan en eventuele figuren en tabellen (deze geven vaak de kern van het verhaal weer). Noteer ieder gevonden antwoord kort op een kaart en vermeld daarbij de vindplaats.

Alleen als je door middel van globaal lezen *niet* de gewenste informatie te pakken krijgt, ga je over tot *intensief* lezen. Lees ten slotte de werken die uit-eindelijk echt antwoord geven op je deelvragen intensief. Maak van het meest interessante bronmateriaal eventueel een samenvatting door het tekstplan ervan te distilleren: beantwoord dan per werk de volgende vragen:

– Waar gaat de tekst over (het onderwerp)?
– Wat is de centrale vraag waar de tekst om draait (de probleemstelling)?
– Welke vragen komen er verder in de tekst naar voren (deelvragen)?
– Hoe worden deze vragen beantwoord (antwoorden)?

Activiteit 3.4: het uitwerken van het globale tekstplan

Inventariseer op basis van de gevonden literatuur de antwoorden bij de pro-bleemstelling en de deelvragen van je globale tekstplan. Vul de nog niet gevon-den antwoorden aan en breid korte antwoorden uit het globale tekstplan verder uit.

Selecteer uit de mogelijkheden díé antwoorden die je in je literatuurverslag echt gaat behandelen.

Orden de geselecteerde antwoorden in een logische volgorde en werk hiermee het globale tekstplan uit tot uitgewerkt tekstplan.

Formuleer de antwoorden zo bondig mogelijk, zodat ze exact je bedoeling weergeven en logisch aansluiten op de vraag waarbij ze horen (soms is het handig om de formulering van de vraag wat aan te passen).

Ga na welke subvragen door de antwoorden worden opgeroepen en formuleer die subvragen. Gebruik open vragen, die bondig geformuleerd zijn en passen bij het antwoord. Zoek vervolgens de antwoorden bij deze subvragen.

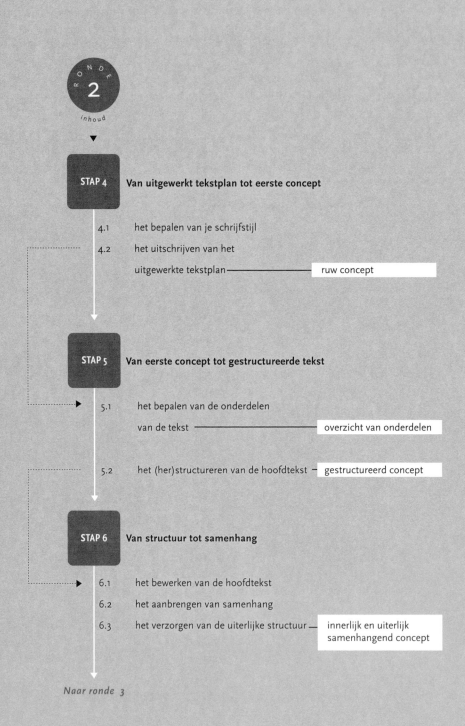

RONDE
2
inhoud

▼

STAP 4 **Van uitgewerkt tekstplan tot eerste concept**

4.1   het bepalen van je schrijfstijl

4.2   het uitschrijven van het

uitgewerkte tekstplan────────────── ruw concept

STAP 5 **Van eerste concept tot gestructureerde tekst**

5.1   het bepalen van de onderdelen

van de tekst ────────────── overzicht van onderdelen

5.2   het (her)structureren van de hoofdtekst ─ gestructureerd concept

STAP 6 **Van structuur tot samenhang**

6.1   het bewerken van de hoofdtekst

6.2   het aanbrengen van samenhang

6.3   het verzorgen van de uiterlijke structuur ─ innerlijk en uiterlijk
samenhangend concept

Naar ronde 3

Inhoud

In de vorige hoofdstukken hebben we het voorbereidende werk voor een literatuurverslag besproken. Nu zijn we toe aan het eigenlijke schrijven van het literatuurverslag. In dit hoofdstuk bespreken we de werkzaamheden bij het schrijven van het eerste concept. Startpunt daarvoor is het in de eerste ronde tot stand gekomen uitgewerkte tekstplan. De ronde Inhoud concentreert zich primair op het 'grof' uitschrijven van de gevonden antwoorden op de in het tekstplan geordende deelvragen. Op die manier kan tot een werkbare concepttekst worden gekomen.

Van uitgewerkt tekstplan tot eerste concept

> De activiteiten die tijdens deze stap moeten worden uitgevoerd, zijn:
> 4.1 het bepalen van je schrijfstijl;
> 4.2 het uitschrijven van het uitgewerkte tekstplan.

Het helpt je in deze ronde erg als je twee aspecten nog even uitstelt: de voorgeschreven opbouw van een literatuurverslag en de formulering van je zinnen.
Waarschijnlijk ben je gewend om, in plaats van op basis van een tekstplan, te
werken vanuit de voorgeschreven *inhoudsopgave* van een tekstsoort of genre.
Vind je het makkelijker de inhoud direct in de voorgeschreven structuur van
een literatuurverslag te gieten, dan is er niets op tegen om eerst stap 5 en dan
pas stap 4 te doen. De reden dat dit boek voorstaat toch *eerst* alle deelvragen uit
je tekstplan in stap 4 grof uit te schrijven, is dat je focus dan blijft liggen bij de
inhoud. Een inhoud*sopgave* zet je al gauw aan tot het schrijven van voorwoord
of inleiding, en dat adviseren we je juist pas *na* het opstellen van het eerste
concept te doen. Je concentreert je in stap 4 alleen nog maar op de hoofdtekst
(zie paragraaf 5.1.6).

Een belangrijk gegeven is dat je je nog niet hoeft te bekommeren om de juiste, foutloze formuleringen, in een toon die precies bij de lezer aansluit. Het
schrijven in stappen stelt dat soort deelproblemen opzettelijk uit tot de derde
schrijfronde, de Afwerking. Je moet in dit stadium proberen te berusten in de
eerst gevonden woorden en zinnen, en je concentreren op het vinden van de
antwoorden op de deelvragen en daarmee op de probleemstelling. Het bereiken van doel en doelgroep krijgt in ronde 3 de volle aandacht.
Doel van dit deel is dat je weet wat de inhoud van je tekst wordt.

Stel je doelen nog niet te hoog; het gaat immers om een *concept*tekst.

Voordat we hier verder op ingaan, zijn er nog twee dingen die we je aanraden te doen:

- Controleer of er in je tekstplan geen overlappingen zitten; kijk of er niet twee (of meer) keer dezelfde vraag of hetzelfde antwoord in je tekstplan staat.
- Ga na of je voldoende gegevens hebt voor de beantwoording van álle vragen. Zo niet, dan moet je je verder documenteren.

4.1 Het bepalen van je schrijfstijl

Voordat je begint met het uitschrijven van je tekstplan, moet je nadenken over de stijl waarin je gaat schrijven. Je kunt informatie namelijk op verschillende manieren vormgeven. De ene tekst zal levendig over een onderwerp vertellen, terwijl een andere tekst over hetzelfde onderwerp saai geschreven is. De ene tekst bevat moeilijke woorden en lange ingewikkelde zinnen, de andere is eenvoudig geschreven. We noemen dit *stijlverschillen*. Het is van belang dat je je voor het schrijven van het literatuurverslag afvraagt in welke stijl je je boodschap wilt 'opdienen': complex of eenvoudig, formeel of informeel, sterk gestructureerd of niet, enzovoort. We gaan hier in hoofdstuk 7 van deel 2 nog nader op in.

Stijl is een moeilijk te omschrijven begrip. Iedereen 'voelt' wel het verschil tussen stijlsoorten, maar het is moeilijk vast te stellen waarin die verschillen nu precies zitten. Daarbij komt dat de grenzen tussen stijlen tamelijk vaag zijn. Steehouder e.a. (1992) gebruiken de term 'stijl' als een verzamelnaam voor een aantal eigenschappen van de tekst, zoals explicietheid van de structuur of moeilijkheid en exactheid van de formulering.

Stijlvormen zijn erg persoonlijk. De één heeft een voorkeur voor woorden als 'in ogenschouw nemen', een ander zegt liever 'bekijken'. Sommige mensen houden van veel inleidingen die duidelijk maken wat er in de tekst aan de orde komt, andere storen zich daar juist aan. Over smaak valt niet te twisten. Wél valt te twisten over de vraag of een bepaalde stijl bij een bepaalde tekst past. Je mag moeilijke woorden mooi vinden, maar je hebt er niets aan als je doelgroep die woorden niet begrijpt. En je hebt zelf misschien een voorkeur voor persoonlijk en informeel taalgebruik, maar in officiële situaties kun je dit beter niet gebruiken. Vraag je dus niet alleen af wat voor stijl je 'mooi' vindt, maar overweeg ook of die stijl past bij het literatuurverslag. Daarbij moet je je in sommige situaties op de hoogte stellen van de normen die er op stijlgebied gelden. Zo kun je de docent naar voorbeeldteksten vragen en nagaan hoe 'dwingend' de genrekenmerken zijn. In hoeverre ben je eraan gebonden, hoeveel vrijheden kun je je veroorloven? Sommige opdrachtgevers en lezers stellen vooral prijs op teksten die getuigen van beheersing van conventies, terwijl andere creativiteit en vindingrijkheid juist hoog aanslaan (zie ook www. rug.nl/noordster).

Het kiezen van een stijl is één, het vormgeven aan die stijl is iets heel anders. Het is moeilijk een gekozen stijl te handhaven. Het vergt ervaring, belezenheid en kennis van effecten van tekstkeuzes. In het kader van dit boek kunnen we hier helaas niet dieper op ingaan. Het boek *Formuleren* van Magreet Onrust e.a. (1993) verschaft je meer inzicht in de effecten van stijlkeuzes op teksten en hun lezers.

4.2 Het uitschrijven van het uitgewerkte tekstplan

Het uitschrijven van het uitgewerkte tekstplan vormt de eerste stap van deze tweede schrijfronde. Tijdens deze stap kun je je aandacht het best concentreren op de *inhoud* van de tekst: de informatie die in de vorm van vragen en antwoorden in je tekstplan staat, en de aanvullingen die je daar al schrijvend bij bedenkt. In de laatste ronde verschuift je aandacht dan meer naar de echte *presentatie* van de tekst: de structuur, de precieze formulering en de uiterlijke afwerking.

Maak je dus nog niet druk over spelling en leestekens. Een vroegtijdige aandacht voor dit soort zaken werkt remmend. Bovendien is het meestal verspilde moeite, omdat er inhoudelijk in de loop van het schrijfproces nog wel het een en ander zal veranderen.

Voor wie zich vragen stelt als: 'Waar begin ik met uitschrijven?' en: 'Hoe hou ik continuïteit in mijn schrijven?' onderscheiden we in de eerste schrijfronde voor het gemak drie fasen:
1 het beginnen aan het eerste concept;
2 het doorschrijven;
3 de herziening.

4.2.1 Het beginnen aan het eerste concept
Veel schrijvers zijn – als ze moeten beginnen – geblokkeerd door 'de angst voor het lege vel papier'. Ook bij ervaren schrijvers treedt deze schrijfangst nog regelmatig op. Voor hen die (bijvoorbeeld op basis van de eerste ronde) wel weten wat ze willen schrijven, maar moeite hebben met het begin, zijn er enkele 'foefjes':

- Begin met een kleine samenvatting die je rechtstreeks uit je tekstplan kunt afleiden: *Dit literatuurverslag zal gaan over ... en daarbij komen de volgende vragen aan de orde ...*
- Begin met een (nog) nietszeggende, maar toepasselijke alinea in de geest van: *Een van de belangrijkste problemen van onze tijd is ... In verband hiermee is het goed om aandacht te besteden aan ... Centraal staat daarbij de vraag ...*
- Kijk in de aantekeningen uit de documentatiefase (zie paragraaf 3.2). Misschien zit er een zin of passage bij die je als begin kunt gebruiken.
- Probeer, om 'los te komen', dat wat je wilt opschrijven eerst mondeling te vertellen. Neem dit bijvoorbeeld op een bandje op en schrijf dit uit.

Deze foefjes zijn vooral bedoeld als hulpmiddel om over de eerste schrijfangst heen te komen en zo een begin te kunnen maken. In een latere ronde, als je goed op gang bent gekomen, kun je deze openingszinnen eventueel herschrijven.

4.2.2   Het doorschrijven

Schrijven is vooral ook denken. Je ideeën worden vaak pas helder op het moment dat je ze schrijvend onder woorden probeert te brengen. In de eerste ronde van het schrijven gaat het er vooral om dat je het tekstplan 'vertaalt' in lopend proza. Resultaat is een beknopte versie van het literatuurverslag die ongetwijfeld op een aantal punten aangevuld moet worden. Door het aanvullen van je eerste uitgeschreven proza ontstaan vaak nieuwe ideeën: je bedenkt opeens nieuwe vragen die aan de orde kunnen komen, of nieuwe antwoorden op bepaalde vragen. Aanvullingen voor je tekstplan kunnen bestaan uit preciseringen, toelichting, voorbeelden en verantwoordingen (zie ook Steehouder e.a., 2006).

Omdat je jezelf de ruimte moet geven voor het ontstaan van nieuwe ideeën, moet je het schrijfproces zo ongestoord mogelijk laten verlopen. Als je schrijft alsof je al aan de definitieve versie bezig bent, belemmer je de ideeënstroom te veel.

Dwing jezelf in deze stap om in een hoog tempo door te schrijven en weinig terug te lezen. Werk de ideeën die je in het tekstplan hebt genoteerd uit tot voorlopige zinnen. Gebruik als titel zolang je onderwerp of probleemstelling, en als hoofdstuk- en paragraaftitels je deelvragen en/of antwoorden uit je tekstplan.

Preciseringen

Om erachter te komen welke algemeenheden in het tekstplan verder gepreciseerd moeten worden, kun je gebruikmaken van de lijst met standaardvragen (zie paragraaf 2.1.2). Je moet steeds controleren of je deze vragen wel kunt beantwoorden, of ze interessant genoeg zijn voor je doelgroep, of het literatuurverslag er niet te lang door wordt en of ze passen binnen je tekstplan.

Voorbeeld preciseringen

Voorlopige tekst

Het begrip 'wetenschappelijke bedrijfsvoering door professionals' lijkt op het eerste gezicht geen negatieve bijklank te hebben. Dat wordt al snel anders als de naam van Frederick Winslow Taylor hieraan verbonden wordt. Taylor hield zich in het verleden bezig met een rationalisering van het werk van arbeiders door verregaande arbeidssplitsing, controle van werkzaamheden en opvoering van productiesnelheid.

Precisering

Wat is wetenschappelijke bedrijfsvoering?
Waar wordt dit toegepast?
Heeft wetenschappelijke bedrijfsvoering een negatieve bijklank?
Voor wie?
Wie was Taylor?
In welke tijd precies hield hij zich bezig met de rationalisering van de arbeid?
Hoe hield hij zich daarmee bezig?
Wat waren de gevolgen?

Toelichting

Als het goed is bestaat er tussen de verschillende deelonderwerpen in een tekst een zekere samenhang. Deze samenhang zal voor de schrijver zelf duidelijk zijn, maar het is belangrijk dat ook de lezer de verbanden tussen de verschillende ideeën in de tekst kan begrijpen. Dit vereist de nodige *toelichting*, die je kunt geven door verzwegen verbanden uit te leggen en ontbrekende gedachtesprongen toe te voegen.

Voorbeeld toelichting

Oorspronkelijke tekst

De vraagstelling van dit literatuurverslag is: wat behelst de *Neder-landse leidraad voor het afstoten van museale objecten* en hoe is deze tot stand gekomen?

Toe te voegen toelichting

Aanleiding is de tentoonstelling *Uit het depot* in het Centraal Museum Utrecht, waar werken uit het depot werden gepresenteerd met als doel de verkoop ervan. Mag een museum niet alleen verzamelen, maar ook 'ontzamelen'? Zijn daar regelingen, kaders voor? Wat is de geschiedenis hiervan? De LAMO – leidraad voor het afstoten van museale objecten – blijkt hiervoor de heersende richtlijn. Dit verslag gaat in op de ontstaansgeschiedenis ervan.

Voorbeelden

Net zoals we hiervoor het geven van uitleg illustreerden met een voorbeeld, kun je in je literatuurverslag *voorbeelden* gebruiken om zaken te verduidelijken. Voorbeelden kunnen daarnaast dienen om de tekst levendiger te maken (zie paragraaf 7.2).

Verantwoordingen

Veel lezers nemen geen genoegen met alleen feiten of meningen in een tekst. Ze beginnen immers aan zo'n tekst vanuit hun eigen voorkennis en normen, en nemen standpunten die daarvan afwijken niet klakkeloos aan. Een schrijver moet zijn uitspraken daarom onderbouwen met argumenten; hij moet zijn visie *verantwoorden*.

Voorbeeld verantwoording

Tekst

Iedereen kan manager worden, maar niet iedere manager is een leider.

Verantwoording

Een manager leert omgaan met problemen, leert organiseren, taken verrichten, leert doelen bereiken. Een leider doet dit ook wel, maar is meer gericht op het ontwikkelen en uitdragen van een visie.

4.2.3   De herziening

Het is gemakkelijker iets wat al op papier staat te verbeteren, dan vanuit het niets te werken. Door nieuwe ideeën en door het aanvullen van je tekstplan kan de opzet van de tekst al schrijvend dan ook veranderen: je gaat misschien andere accenten leggen, of je wijkt van het oorspronkelijke tekstplan af. Om ervoor te zorgen dat je toch een goed opgebouwde tekst krijgt, moet je gaan herzien of herstructureren.

Je kunt je concept op allerlei manieren herzien. Zolang het gaat om detailkwesties is het allemaal niet zo moeilijk. Je kunt overbodige of niet ter zake doende informatie (bijvoorbeeld een deelvraag die niet meer relevant blijkt) schrappen, je kunt tekst verbeteren en je kunt de tekst aanvullen met preciseringen en details, voorbeelden of verantwoordingen (nog steeds is de exacte formulering van later zorg).

Soms blijkt dat stukje bij beetje de hele *opzet* van je tekst verandert. De tekst kan dan achteraf niet meer op het tekstplan blijken te passen, of er ontstaan tijdens het schrijven ideeën die geschikter zijn voor een andere doelgroep. Ook is het mogelijk dat het doel van de tekst gaat veranderen, of dat de tekst veel langer wordt dan oorspronkelijk bedoeld. Ons advies is om bij deze vierde stap kritisch na te gaan of de tekst nog wel voldoet aan de plannen die je tijdens het maken van het tekstplan had. Is dat niet het geval, dan kun je twee dingen doen. Je kunt de tekst zodanig veranderen dat die weer aansluit bij je oorspronkelijke tekstplan of je kunt het oorspronkelijke tekstplan laten vallen en een nieuwe opzet kiezen.

Het herzien en verbeteren van je concept(en) wordt vergemakkelijkt als je probeert je werk zo in te richten dat je het schrijven af en toe even kunt onderbreken. Door afstand van je tekst te nemen, kun je je een beter oordeel vormen over de inhoud ervan. Vraag jezelf bij het herlezen af: staat erin wat ik erin wilde zetten? Ontbreekt er iets of staat er misschien juist te veel in? Een goede manier om erachter te komen hoe de tekst overkomt, is deze door een ander te laten lezen en zijn mening te vragen. Zo iemand heeft in ieder geval voldoende afstand van de tekst om tot een kritisch oordeel te komen.

Natuurlijk zal je lezer wel moeten kunnen ontdekken welke vragen aan de orde komen; hij moet gemakkelijk een vraagschema als in paragraaf 2.1.1 kunnen reconstrueren.

Van eerste concept tot gestructureerde tekst

> De activiteiten die tijdens deze stap moeten worden uitgevoerd, zijn:
> 5.1 het bepalen van de onderdelen van de tekst;
> 5.2 het rangschikken van de delen van de concepttekst over die
>   onderdelen.

De concepttekst is het resultaat van de eerste schrijfronde. Daarin lag de nadruk op het genereren van de inhoud, met als uitgangspunt de probleemstelling. De deelvragen bij die probleemstelling dienden als skelet voor de tekst. Doordat zij in een logische volgorde stuk voor stuk een deelantwoord bij de probleemstelling genereerden, vertonen de ontstane onderdelen van de concepttekst als het goed is al enige samenhang. De aandacht voor het leggen van expliciete verbanden tussen alinea's, het verzinnen van passende titels en koppen, en het formuleren van vloeiend lopende zinnen is echter tot latere rondes uitgesteld. Voordat we daar aan toe zijn, gaan we eerst in op de structuur van de gehele tekst.

Voorkeursplaatsen

Voor de begrijpelijkheid van teksten is een duidelijke structuur van essentieel belang. Een tekst die chaotisch is opgebouwd, is voor niemand goed te lezen. Dat heeft te maken met de in paragraaf 3.3 genoemde soorten leesstijlen. Een lezer wil (en 'moet') de vrijheid hebben te kiezen hoe hij een tekst zal lezen. Om te bepalen of een tekst interessant voor hem is, zal een lezer deze eerst *scannend* lezen. Dit 'scannen' komt het dichtst in de buurt van oriënterend lezen (zie paragraaf 3.3.1). De lezer bekijkt het begin en het eind van de tekst en de tekstdelen om een indruk te krijgen van de inhoud van de tekst. Dit gaat net als bij het lezen van de krant, waar je met 'koppensnellen' hetzelfde bereikt: je bekijkt de kop, de inleiding, de tussenkoppen, de eerste en laatste zin(nen) van tekstdelen en eventueel het slot. Op deze zogenoemde *voorkeursplaatsen* staat de belangrijkste informatie van de tekst. Met deze informatie kan de lezer beoordelen of de tekst geschikt is voor zijn doel (kennisvergaring, verstrooiing en dergelijke). Pas als het oordeel positief uitvalt, zal de lezer een tekst echt (globaal of intensief, weer afhankelijk van zijn doel) gaan lezen.

Doel van de lezer

Een tekst met een chaotische of rommelige structuur levert bij het scannen van de voorkeursplaatsen niet het gewenste resultaat. Immers, wanneer de eenheden van de tekst (hoofdstukken/paragrafen/alinea's) ongeordend door elkaar staan, wordt de regel dat de belangrijkste informatie van de tekst aan het begin en eind van zo'n eenheid staat gemakkelijk geschonden. De lezer krijgt, als hij deze plaatsen afzoekt naar de kerninhoud, niet wat hij zoekt. Om te weten of de tekst geschikt voor hem is, moet hij al direct overgaan tot globaal of zelfs intensief lezen (zie paragraaf 3.3.1) en daar kan hij wel eens helemaal geen zin in hebben. Bovendien ervaren lezers het lezen van een ongeordende tekst als onplezierig. Gebleken is ook dat iemand die een slecht gestructureerde tekst van het begin tot het eind doorleest, veel minder onthoudt dan iemand die hetzelfde doet met een goed gestructureerde tekst.

Doel van de schrijver

Met het aanbrengen van een goede structuur bied je je lezer een houvast bij het lezen van de tekst. Wanneer de rode draad van het verhaal duidelijk is, kan de lezer deze gebruiken als een kapstok om de meer uitgewerkte informatie aan op te hangen. Maar met een goede structuur help je ook jezelf als schrijver. Door te structureren krijg je meer zicht op de stof, en kom je er als het ware 'boven' te staan. Op die manier ontdek je zelf eenvoudig leemten en onduidelijkheden in je tekst. Bovendien betekent een goede structuur dat de boodschap die je wilde overbrengen beter bij de lezer blijft hangen. Een goede structuur in je literatuurverslag is dus onontbeerlijk voor het bereiken van het doel dat je je als schrijver (zie paragraaf 1.2) gesteld hebt.

Hoe verder?

Zoals gezegd geven de deelvragen die je bij de probleemstelling formuleert het skelet van de tekst. Als het goed is heeft de concepttekst op basis van de stap voor stap gegeven deelantwoorden al een logische opbouw. Om echter aan zowel het doel van de lezer als aan dat van de schrijver tegemoet te komen zul je als schrijver gebruik moeten maken van de eerdergenoemde *voorkeursplaatsen*. Dat betekent dat de deelantwoorden (de tekstdelen van de concepttekst) in een stramien moeten worden gegoten van inleiding via kern tot slot. Voor een literatuurverslag kent dit stramien een – min of meer – vast aantal onderdelen. Het passen van de delen van de concepttekst hierin vormt de eerste stap van het herschrijfproces.

76

5.1 Het bepalen van de onderdelen van de tekst

De concepttekst die resulteert uit het uitgewerkte tekstplan, komt in de kern van het literatuurverslag, de *hoofdtekst*, terecht. Standaard bestaat een literatuurverslag vaak uit de volgende onderdelen:

1 omslag
2 titelpagina
3 voorwoord (indien gewenst)
4 inhoudsopgave
5 samenvatting
6 HOOFDTEKST
  6a inleiding
  6b kern
  6c slot
7 bibliografie
8 noten (indien nodig)
9 bijlagen (indien nodig)
10 trefwoordenregister/index (bij grotere teksten)

De onderdelen voorafgaand aan de hoofdtekst leiden deze in, de onderdelen volgend op de hoofdtekst helpen de lezer die zich verder in het onderwerp wil verdiepen. Er zijn natuurlijk meer onderdelen te onderscheiden, maar de hier genoemde onderdelen komen bij een literatuurverslag het meest voor.

5.1.1 De omslag

Het omslag van een rapport of literatuurverslag wordt nogal eens verward met de titelpagina. Wie een willekeurig boek openslaat, ziet dat omslag en titelblad niet altijd gelijk zijn. Het omslag moet de aandacht trekken en dient daarnaast ter bescherming van het rapport. Het omslag is daardoor vaak opvallender dan de titelpagina, maar bevat minder uitgebreide informatie.

Een omslag bevat in een overzichtelijke lay-out:
– de titel van het literatuurverslag (met of zonder ondertitel);
– de naam van de auteur(s) van het literatuurverslag;
– de naam van de uitgevende organisatie (eventueel met het logo).

Achter de gegevens op het omslag staat geen punt.

5.1.2   De titelpagina

De titelpagina is de eerste pagina van het rapport. Ze moet alle gegevens bevatten die een volledige titelbeschrijving mogelijk maken. Een willekeurig iemand zou dus op basis van de titelpagina van je literatuurverslag een bibliografische notitie moeten kunnen maken.

De titelpagina bevat daarom:

– de volledige titel en eventuele ondertitel;
– de naam en voorletters van de auteur(s);
– de plaats van uitgave;
– het jaar van uitgave;
– de naam van de uitgevende organisatie(s).

Betreft het een in het kader van je studie geschreven literatuurverslag (of bijvoorbeeld een stageverslag of scriptie), dan moeten op de titelpagina ook nog worden vermeld:

– het groepsnummer;
– het studentnummer;
– het semester/trimester en studiejaar;
– de datum van voltooiing;
– de naam van het studieonderdeel;
– de naam van de begeleider(s);
– de naam van de docent.

De titelpagina is niet genummerd. De eerste pagina met tekst krijgt paginanummer 2.

Achter de gegevens op de titelpagina staat geen punt.

De titel van je literatuurverslag moet het onderwerp precies afbakenen. De lezer moet via de titel direct een goed beeld van de inhoud kunnen krijgen. Een titel als *Marketingcommunicatie* is minder informatief dan *De kracht van een goede marketingcommunicatie bij de introductie van een designmeubelstuk.* Maar een te lange titel is ook niet goed. Vermijd constructies als *Onderzoek naar ...*, *Een studie van ...* of *Enkele beschouwingen over ...* Wil je dergelijke informatie toch weergeven, doe dit dan in een ondertitel. Zo kan *Nieuwe werkwijzen bij het toewijzen van planningstaken en het vastleggen van planningsafspraken* worden: *Planningstaken en planningsafspraken. Een vergelijking van twee nieuwe werkwijzen in de praktijk.*

5.1.3 Het voorwoord

Een voorwoord zal in veel referaten achterwege gelaten kunnen worden. Het bevat gegevens die niet direct met het onderwerp van het literatuurverslag verband houden, die derhalve geen plaats kunnen krijgen in de eigenlijke tekst van het literatuurverslag, maar waarvan de auteur het wel belangrijk vindt ze te vermelden.

Een voorwoord kan worden gebruikt om kort de aanleiding of de geschiedenis van het literatuurverslag te schetsen, om betrokkenen te bedanken of om het kader weer te geven waarin de lezer de geboden inhoud moet interpreteren. Het komt weleens voor dat er in een voorwoord humoristisch bedoelde opmerkingen staan als 'U dacht dat samen met uw vrouw op vakantie gaan een test voor uw relatie was? Dan hebt u nog nooit geprobeerd een boek met haar te schrijven!' (in een voorwoord van een boek door een echtpaar geschreven). Dit soort mededelingen is voor zakelijke teksten vaak minder geschikt.

Zaken die in een voorwoord aan de orde kunnen komen, zijn:
- informatie over het ontstaan, de aanleiding, het kader of de geschiedenis van het onderzoek;
- gegevens over de auteur(s);
- aanduiding van de organisatie of instelling waarvoor het verslag geschreven is (noem alleen namen als je zeker weet dat de betrokkenen dit goedvinden);
- dankbetuigingen aan mensen die hun medewerking hebben verleend;
- vermelding van de doelgroep waarvoor het verslag geschreven is;
- toelichtingen op de manier waarop of het kader waarbinnen het verslag gebruikt kan worden.

5.1.4 De inhoudsopgave

Een goede inhoudsopgave fungeert als structuuraanduider. Een lezer die zich snel op de inhoud van een rapport of literatuurverslag wil oriënteren, kan uit zo'n inhoudsopgave de grote lijn van het betoog halen. Daarmee kan hij beoordelen of het literatuurverslag een antwoord geeft op wat hij zoekt, en dus of hij het verslag (of delen ervan) zal gaan lezen.

We adviseren daarom iedere tekst van een redelijke lengte (vanaf circa acht pagina's tekst) te voorzien van een duidelijke en 'mededeelzame' inhoudsopgave, waarbij ook door middel van de lay-out (bijvoorbeeld door het inspringen van subparagrafen) met de overzichtelijkheid rekening is gehouden. Een inhoudsopgave is voor de schrijver een handig hulpmiddel, omdat eraan te zien is of een tekst (te) veel of (te) weinig is onderverdeeld. Deze informatie kan worden gebruikt bij het herzien van de tekst (inkorten of uitbreiden van delen van de tekst).

79

Een goede inhoudsopgave bevat links:
- de titels van hoofdstukken en paragrafen met hun indelingstekens (letterlijk overgenomen van de titels in het literatuurverslag zelf, met achter het laatste cijfer van een indelingsteken géén punt);
- de ongenummerde onderdelen: samenvatting, bibliografie, trefwoordenregister of index;
- onder een kopje 'Bijlagen' de genummerde lijst van de bijlagen met hun titels.

Met daarachter, rechts, natuurlijk:
- de nummers van de pagina's waarop de betreffende hoofdstukken, paragrafen en onderdelen beginnen.

De omslag, de titelpagina, het voorwoord en de inhoudsopgave zelf worden niet in de inhoudsopgave vermeld.

5.1.5 De samenvatting

De samenvatting is een essentieel onderdeel van elk literatuurverslag. Veel lezers oriënteren zich via de samenvatting (ook wel aangeduid met de Engelse naam *abstract*) op de inhoud van het literatuurverslag en besluiten naar aanleiding daarvan het literatuurverslag wel of niet te lezen. De samenvatting moet daarom begrijpelijk, kort en informatief de hoofdlijnen van het literatuurverslag weergeven, dus óók de conclusie. Omdat samenvattingen daarnaast vaak gebruikt worden in literatuurdocumentatiesystemen en bibliografieën, moet er de nodige zorg aan worden besteed.

De eisen die derhalve aan een samenvatting gesteld kunnen worden, zijn:
1 Geef niet alleen conclusies weer, maar geef een samenvatting van het héle literatuurverslag.
2 Zorg dat de samenvatting te begrijpen is zonder dat het literatuurverslag gelezen is. Neem geen begrippen op die pas in de tekst worden toegelicht.
3 Neem geen informatie op die niet ook in de tekst terug te vinden is. Houd de samenvatting kort.
4 Schrijf de samenvatting vanuit je invalshoek als schrijver; geef aan wát er over bepaalde zaken wordt meegedeeld, niet dát er iets over wordt meegedeeld. Dus niet: *In dit verslag worden kanttekeningen geplaatst bij de huidige visie op personeelsbeoordeling ...* of *De auteur vergelijkt twee methoden ...*, maar wel: *De huidige visie op personeelsbeoordeling is ...* en *Vergeleken worden het functioneringsgesprek en het beoordelingsgesprek.* Maar vermijd 'ik' als in: *In dit onderzoek heb ik bekeken hoe ...* Schrijf in plaats daarvan iets als: *Dit verslag geeft de resultaten weer van een literatuurstudie naar ...*

5   Maak het onderwerp aan het begin van de samenvatting duidelijk.
6   Neem alleen essentiële inhoudelijke informatie op. Laat inleidende informatie en achtergrondgegevens achterwege.
7   Gebruik vaktermen die onderscheidend werken, die het de lezer duidelijk maken binnen welk vakgebied het literatuurverslag te plaatsen is.

Als onderdelen van een samenvatting kunnen gelden:
- de probleemstelling;
- de belangrijkste gebruikte methode;
- de belangrijkste resultaten;
- de conclusie(s);
- de gedane aanbevelingen.

5.1.6   De hoofdtekst

In de hoofdtekst wordt de in deel 1 geformuleerde probleemstelling uitgewerkt en beantwoord. Globaal gezien kan de hoofdtekst worden onderscheiden in een inleiding, een kern (met hoofdstukken en paragrafen) en een slot. De meeste adviezen in dit boek hebben betrekking op deze drie onderdelen van het uiteindelijke literatuurverslag. We lichten ze achtereenvolgens toe.

5.1.6.1   De inleiding

De inleiding moet het literatuurverslag ontsluiten. Dit eerste deel van de hoofdtekst heeft zowel een structurerende als motiverende werking. Structurerend omdat het de lezer voorbereidt op wat komen gaat, en motiverend omdat hij bij de lezer belangstelling moet wekken voor het gebodene. De inleiding is dan ook een belangrijke voorkeursplaats van het literatuurverslag.[7]
In navolging van onder andere Steehouder adviseren we je vier onderdelen in de inleiding op te nemen.

1   *Een herkenbare opening*
Veel schrijvers vallen, wanneer ze verslag doen van een onderzoek of studie, met de deur in huis. Ze schetsen grote problemen en beloven die te zullen oplossen. Vaak verliezen dergelijke schrijvers al bij hun inleiding hun doelgroep uit het oog. De lezer krijgt bij het lezen van de inleiding het idee in een privéverslag terecht te zijn gekomen en kan niet snel achterhalen wat voor belang hij bij de resultaten van het onderzoek heeft. Een actuele of anekdotische opening kan in zo'n geval uitkomst bieden. Door een voor de lezer voorstelbare situatie te schetsen, en hieraan vervolgens de

---

7   In veel verslagen is het inleidende hoofdstuk gewoon ook genummerd. Het heeft dan nummer 1.

probleemstelling van je literatuurverslag te hangen, krijgt de lezer een idee van de relevantie van het onderwerp en wordt hij bij de materie betrokken. Dit zal het begrip bevorderen.

2 *Een introductie van het 'probleem' (onderwerp)*
Vanzelfsprekend krijgt ook de probleemstelling een plaats in de inleiding. Zowel voor je lezer als voor jezelf is het echter noodzakelijk je probleemstelling in een breder kader te plaatsen. Om aan te geven dat in de inleiding ook dit kader toegelicht moet worden, spreken we hier van een 'introductie van het probleem' (het onderwerp van je centrale vraag). Geef aan op welk probleem je je richt, waarom het een probleem is, voor wie, en beschrijf kort of er eerder onderzoek naar verricht is, en wat de aanleiding van jouw onderzoek/verslag is. Geef ook aan waarom het van belang is een oplossing te bieden voor het gesignaleerde probleem en hoe je tot een oplossing wilt komen. Beschrijf kort het type onderzoek en de methode die hierbij gevolgd is. Daarnaast kun je toelichten hoe je het onderwerp hebt afgebakend en welke uitgangspunten en randvoorwaarden je hebt gehanteerd.

3 *De aanduiding van het doel*
Door het doel van je literatuurverslag aan te geven stel je de lezer in staat zich in te stellen op wat komen gaat, maar ook: te controleren of je je doel ook werkelijk bereikt ... Net als bij de 'opening' is het hier zaak dat je uitgaat van het perspectief van de lezer. Schrijf niet op wat je zelf met het literatuurverslag wilt bereiken (*Ik wil meer over politiek taalgebruik te weten komen ...*), maar beschrijf wat de lezer aan je tekst kan hebben. (*Tijdens elke verkiezingsperiode duizelt het ons weer. Politici debatteren naar hartenlust over het inkomensplaatje, het woonwaardeforfait en de spitsstrook als middel tegen filevorming. Het klinkt vaak veelbelovend, maar ook vaag en ingewikkeld. Wie wil stemmen moet zich door een woud van jargon en verbale trucs heen worstelen voor hij bij de kern van een partijprogramma is. Dit verslag laat zien hoe politiek taalgebruik in elkaar steekt. Van welke retorische trucs maken politici gebruik? Daarbij wordt ingegaan op zowel het talige als het cognitieve aspect.*)

4 *Een (motivatie) van de opbouw van de inhoud*
Om je lezer zicht te geven op de manier waaróp je je probleemstelling wilt beantwoorden en dus je doel wilt bereiken, geef je in je inleiding een korte schets van de inhoud. Daarin beschrijf je de opbouw van de tekst in kernachtige bewoordingen. Geef geen tweede inhoudsopgave, maar beschrijf op hoofdstukniveau wat de vragen (thema's) zijn die je in je hoofdstukken behandelt. Je geeft als het ware van elk hoofdstuk een kleine samenvatting.

Wanneer een dergelijke korte schets van de inhoud de lezer onvoldoende inzicht geeft in de logica van je opbouw, is het aan te raden naast de genoemde samenvattinkjes ook een korte toelichting te geven op de manier waarop de verschillende hoofdstukken met elkaar *samenhangen*.

Opmerkingen over de moeite die het schrijven van het literatuurverslag gekost heeft, of bedankjes aan mensen die hulp verleend hebben, horen niet in de inleiding thuis. Hiervoor is het voorwoord de enig juiste plaats.

5.1.6.2   De kern

De kern van een literatuurverslag bestaat uit genummerde en getitelde hoofdstukken die meestal zijn onderverdeeld in eveneens genummerde en getitelde paragrafen. Het uitgewerkte tekstplan, zoals besproken in hoofdstuk 3, vormt de feitelijke basis voor deze hoofdstuk- en paragraafindeling van het literatuurverslag.
Een hoofdstuk ontstaat door het uitschrijven van één of meer deelvragen en het daarop gevonden antwoord. De paragrafen binnen zo'n hoofdstuk kunnen worden gevormd door de antwoorden op zo'n deelvraag óf door de subvragen. Paragrafen bestaan zelf uit alinea's. Een alinea is te omschrijven als een groep bij elkaar horende zinnen. Iedere alinea behandelt een aspect van het antwoord dat de paragraaf op de subvraag geeft.

Bij kleinere referaten kun je volstaan met een onderverdeling in paragrafen en subparagrafen. Bij grote referaten met grotere paragrafen kun je binnen deze paragrafen nog weer onderscheid maken in 'tekstblokken'; groepen alinea's die gescheiden worden door een witregel. Het is in alle gevallen af te raden de tekst al te veel te versnipperen in subparagrafen en subsubparagrafen. Vermijd een onderverdeling in (sub)paragrafen die maar één of twee alinea's bevat; dit schaadt de overzichtelijkheid. Het is in zo'n geval voor de lezer moeilijk te achterhalen welke paragraafjes nu dezelfde deel- of subvraag behandelen, waardoor hij de grote lijn van het verhaal uit het oog verliest.

De hoofdstukken in een literatuurverslag hoeven niet allemaal precies even lang noch even ver onderverdeeld te zijn. Ontstaat er echter een hoofdstuk dat in verhouding tot de overige hoofdstukken buitensporig lang is, dan kun je je afvragen of dat hoofdstuk niet te veel informatie bevat. Het kan zijn dat het hoofdstuk meerdere deelvragen beantwoordt, maar het kan ook zijn dat het hoofdstuk de probleemstelling in haar geheel bespreekt. De inhoudsopgave is een handig hulpmiddel voor het achterhalen van dergelijke scheve verhoudingen in het verslag. Is er sprake van een onevenredige verdeling, dan moet je de

83

hoofdstukken nog eens goed op de thema's (deelvragen) nalopen. In paragraaf 5.2 wordt beschreven hoe je dit doet.

5.1.6.3   Het slot

Het slot van de hoofdtekst van een literatuurverslag zal in de meeste gevallen bestaan uit een (of meer) conclusie(s) en eventueel daaruit voortvloeiende aanbevelingen. Maar een slot kan daarnaast ook een blik op de toekomst bevatten. Belangrijk is steeds het verband aan te geven met de voorgaande onderdelen van het literatuurverslag, waarbij de probleemstelling de rode draad geeft.[8]

Zo komen we op de zes eisen die aan het slothoofdstuk te stellen zijn:
1   Het moet in directe relatie staan met de probleemstelling; er moet in de afsluitende tekst een passend antwoord op de centrale vraag worden gegeven.
2   Net als de samenvatting moet het slot begrijpelijk zijn voor iemand die het literatuurverslag verder niet leest. Naast de herhaling van de centrale vraag en het antwoord daarop bevat het daarom een korte samenvatting van de resultaten (antwoorden op de deelvragen).
3   De informatie in het slot volgt rechtstreeks uit de rest van het literatuurverslag.
4   De conclusie mag geen informatie geven die niet logisch volgt uit de rest van het literatuurverslag; de lezer moet in de kern bijvoorbeeld gemakkelijk de onderbouwing voor de conclusie kunnen vinden.
5   De conclusie moet kernachtig zijn geformuleerd.
6   De conclusie moet laten zien dat de zaken (antwoorden op de deelvragen) die besproken zijn, leiden tot aanvaarding van de stelling c.q. oplossing van de probleemstelling.

Het is mogelijk dat het slot van het literatuurverslag niet de vorm heeft van een conclusie. Dit is het geval wanneer het doel van de schrijver was het onderwerp te inventariseren en te *beschrijven*. Het antwoord op de probleemstelling is in zo'n geval te vinden in de kern van het literatuurverslag. Het slot kan dan een samenvatting geven van het belangrijkste uit deze kern. Wanneer het literatuurverslag de *oplossing* voor een probleem beoogt aan te dragen (door bijvoorbeeld iets te vergelijken of te evalueren, afhankelijk van de probleemstelling), dan eindigt de verslaglegging met een passend oordeel. Was het doel te *adviseren*, dan kan het slot – in aansluiting op de conclusie – aanbevelingen of adviezen geven. Ook hiervoor geldt dat deze logisch uit de conclusie en

---

8   Ook hier geldt – net als voor de inleiding – dat dit onderdeel van het verslag dikwijls gewoon een nummer heeft.

de rest van het literatuurverslag moeten voortvloeien. Wees je ervan bewust dat aanbevelingen alleen dan zinnig zijn, als adviseren ook werkelijk in het doel van het literatuurverslag besloten lag, en als de aanbevelingen zelf vrijwel automatisch uit de conclusie volgen.

Wanneer er op basis van de conclusie geen duidelijke uitspraken kunnen worden gedaan, kun je overwegen een aparte paragraaf 'Discussie' op te nemen waarin je ingaat op bijvoorbeeld het nut van de methode of de literatuur die is gebruikt, of waarin je kanttekeningen plaatst bij andere onderdelen van het verslag.

5.1.7   De bibliografie

Aan het eind van een literatuurverslag worden de gebruikte publicaties alfabetisch opgesomd in een bibliografie of literatuurlijst. Zo'n lijst bevat de titelbeschrijvingen van alle publicaties die de auteur daadwerkelijk bij zijn literatuurverslag geraadpleegd heeft. Publicaties zoals woordenboeken of andere handboeken met algemene, niet-omstreden informatie worden niet in de bibliografie vermeld, tenzij er letterlijk uit geciteerd is.

In paragraaf 3.2 bespraken we al het belang van bronvermelding. Door bronvermelding, voorkom je plagiaat. Plagiaat is het presenteren van werk van een ander als dat van jezelf. Als je citeert of parafraseert (in je eigen woorden weergeeft) uit het werk van een ander zonder daarbij een correcte bronvermelding te geven, is er sprake van plagiaat. Ook bij het overnemen van ideeën, nieuw geïntroduceerde termen of informatie uit andermans werk moet je de bron vermelden om plagiaat te voorkomen (Voorst & Wilders, 2006: 3).

Voor het leren werken met een bibliografie is het belangrijk in te zien dat er, net als bij bijlagen, een verwijzingsrelatie bestaat tussen de tekst en de bibliografie. In de tekst van het literatuurverslag wordt verwezen naar de literatuur die is opgenomen in de bibliografie. Dit gebeurt door middel van literatuurverwijzingen. We geven hier de eisen die gelden voor de titelbeschrijvingen in een bibliografie. In de paragrafen 5.1.8 en 5.1.9 komen respectievelijk literatuurverwijzingen en noten in de tekst aan de orde.

Een bibliografie is opgebouwd uit titelbeschrijvingen. Dit zijn de beschrijvingen van de voor een tekst geraadpleegde literatuur. Ze kunnen op verschillende manieren worden gegeven; de notatiewijze is afhankelijk van de conventies van bijvoorbeeld de opleiding, het vakgebied of het tijdschrift van publicatie. In een enkel geval kan je worden gevraagd een *beredeneerde bibliografie* op te stellen. Hierin wordt per geraadpleegde bron kort toegelicht wat de inhoud van die bron is, en waarom het als bron geschikt was. Verschillende disciplines gebruiken verschillende notatiesystemen voor hun bibliografieën. Binnen sociaalwetenschappelijke opleidingen hanteert men wel de APA-stijl (Ameri-

85

can Psychological Association), binnen letterkunde-opleidingen wordt wel de Chicago-stijl gebruikt (voet- of eindnoten met een alfabetisch gerangschikte bibliografie), of soms de MLA-stijl (Modern Language Association). Je kunt de stijlen nazoeken op www.rug.nl/noordster, een site over academisch schrijven. Omdat het te ver voert hier alle mogelijke notatiesystemen te vermelden, geven we hier één vaak gehanteerde methode. Vraag je docent of opdrachtgever welke stijl hij voorschrijft. Als basiseis geldt bij alle notatiesystemen: *wees consequent*.

Uitgangspunt voor een titelbeschrijving in een bibliografie vormt het titelblad van de geraadpleegde publicatie. In een bibliografie kunnen titelbeschrijvingen van verschillende soorten publicaties worden opgenomen. Bij het gebruik van bronnen moet je, vooral voor een academische tekst, zorgvuldig de kwaliteit en betrouwbaarheid ervan beoordelen. Gedrukte bronnen geven hierover middels de auteur of uitgever wel voldoende aanwijzingen. Bij bronnen op internet is dit niet altijd het geval. Een aanwijzing kan zijn dat het geschrevene verschijnt op een website van een professionele instelling, of dat de auteur getuige andere publicaties voldoende autoriteit heeft om betrouwbare informatie te verschaffen. Kun je de betrouwbaarheid van een elektronische bron niet beoordelen, of kom je tot de conclusie dat de bron niet erg betrouwbaar is, gebruik hem dan niet. Is de betrouwbaarheid volgens jou overtuigend, gebruik elektronische bronnen dan als aanvulling op de andere, geschreven bronnen. Net als bij gedrukte bronnen moeten verwijzingen naar elektronische of internetbronnen voldoende informatie geven om de bron terug te kunnen vinden.

Titelbeschrijvingen van boeken

Een titelbeschrijving van een boek bevat achtereenvolgens:

1   Naam van de auteur(s), voorletter(s) van de auteur(s) (zonder titulatuur). Bij meer dan drie auteurs worden *ten hoogste* de eerste drie vermeld, gevolgd door 'e.a.'.
2   Titel van het boek, en de eventuele ondertitel: cursief of – wanneer cursief niet mogelijk is – onderstreept.
3   (Druk), plaats van uitgave gevolgd door een dubbele punt, en de uitgever (of uitgevende instantie).
4   Jaar van uitgave.
5   (Reeksnaam en reeksnummer.)

Opmerkingen:
–   Wanneer het een eerste druk betreft, hoeft deze niet te worden vermeld.
–   Is het jaar of de plaats van uitgave niet bekend, dan kan worden volstaan met de vermelding 'z.j.' (zonder jaar) respectievelijk 'z.pl.' (zonder plaats).

- Staan er in de bibliografie van één auteur meer publicaties uit hetzelfde jaar, dan wordt er een kleine letter aan het jaartal toegevoegd. Hierbij wordt alfabetisch de eerste publicatie in dat jaar aangeduid met 'a', de tweede met 'b', enzovoort.
- Bedrijven, commissies, verenigingen, werkgroepen, kerkelijke instellingen, overheidsorganen, scholen en dergelijke kunnen ook als auteurs optreden. Men spreekt van 'corporatieve auteurs'. Uitgaven van corporatieve auteurs kunnen op twee manieren worden weergegeven.

Voorbeelden

Bij één auteur
Graaf, D.M.K. van der, *Een kijkje in de keuken van een commercieel station, Televisie in de 21e eeuw*, Den Haag: Stichting Minder Televisie Kijken, 2007.

Bij twee auteurs
Pietersma, A. & G. van der Gruim, *Management in de praktijk, Een handboek voor bedrijfskundigen*, 5e geh. herz. druk, Groningen: Wolters-Noordhoff, 2008.

Bij meer dan drie auteurs
Omarsson-Bergsma, R.A. e.a., *Vrouwen in leidinggevende functies*, 4e verb. druk, Utrecht: Van Gaal Uitgeverij, 2004.

Bij meerdere geraadpleegde werken van één auteur van hetzelfde jaar
Brink, A.T., *Het opstellen van vragenlijsten voor enquêtes*, Assen: Van Gorcum & Comp., 2003a.
Brink, A.T., *De verwerking van enquête-resultaten*, Groningen: Drukkerij De Regenboog, 2003b.

Bij 'corporatieve auteurs'
Milieukompas, *Advies van de Adviesraad voor inkoopfunctionarissen*, Groningen: Fugro Milieu, 2001.
óf:
Adviesraad voor inkoopfunctionarissen, Milieukompas, Groningen: Fugro Milieu, 2001.

87

Bij een anoniem werk vermeld je geen auteur, maar enkel titel, plaats van uitgave, eventueel de uitgever en het jaar.

Titelbeschrijvingen van tijdschriftartikelen

Een titelbeschrijving van een tijdschriftartikel bevat achtereenvolgens:

1 Naam van de auteur(s), voorletter(s) van de auteur(s) (zonder titulatuur). Bij meer dan drie auteurs volgt 'e.a.'.
2 Titel van het artikel, en de eventuele ondertitel: tussen enkele aanhalingstekens.
3 Naam van het tijdschrift: cursief of – wanneer cursief niet mogelijk is – onderstreept.
4 Jaargang, jaar tussen haakjes, nummer.
5 Paginanummers, voorafgegaan door 'p.'.

Voorbeelden

> Zwart, A., 'Onder het oppervlak in Thesinge', *Noorderbreedte*, 24 (2008), 6, p. 233-236.
> Vermeylen, S. & A. Heene, 'Strategische planning en intern ondernemerschap: dilemma of opportuniteit?', In: *M & O, Tijdschrift voor organisatiekunde en sociaal beleid*, 53 (2004), nov./dec., p. 465-479.

Titelbeschrijvingen van verzamelwerken

Een titelbeschrijving van een verzamelwerk (redactiewerk of bundel) bevat achtereenvolgens:

1 Naam van de auteur(s), voorletter(s) van de auteur(s) (zonder titulatuur). Bij meer dan drie auteurs volgt 'e.a.'.
2 Daarachter tussen haakjes, afhankelijk van de taal waarin het boek geschreven is: 'red.' (redacteuren), 'ed(s).' (editor) of 'Hrsg(s).' (Herausgeber). Bij meer dan drie redacteuren worden ten hoogste de eerste drie vermeld, gevolgd door 'e.a.'.
3 Titel van het verzamelwerk en de eventuele ondertitel: cursief of – wanneer cursief niet mogelijk is – onderstreept.
4 (Druk), plaats van uitgave gevolgd door een dubbele punt, en de uitgever (of uitgevende instantie).
5 Jaar van uitgave.
6 (Reeksnaam en reeksnummer.)

Voorbeeld

> Grossman, J. (ed.), *The Chicago Manual of Style*, Chicago: The University of Chicago Press, 1994.

Titelbeschrijvingen van bijdragen in verzamelwerken

Een titelbeschrijving van een bijdrage in een verzamelwerk (redactiewerk of bundel) bevat achtereenvolgens:

88

1 Naam van de auteur(s), voorletter(s) van de auteur(s) (zonder titulatuur). Bij meer dan drie auteurs volgt 'e.a.'.
2 Titel van de bijdrage en de eventuele ondertitel: tussen aanhalingstekens.
3 Voorzetsel 'In' gevolgd door een dubbele punt, naam en voorletters van de redacteur(en) (zonder titulatuur), met daarachter tussen haakjes, afhankelijk van de taal waarin het boek geschreven is: 'red.' (redacteuren), 'ed(s).' (editor) of 'Hrsg(s).' (Herausgeber). Bij meer dan drie redacteuren worden ten hoogste de eerste drie vermeld gevolgd door 'e.a.'.
4 Titel van het verzamelwerk en de eventuele ondertitel: cursief of – wanneer cursief niet mogelijk is – onderstreept.
5 (Druk), plaats van uitgave.
6 Jaar van uitgave.
7 (Reeksnaam en reeksnummer.)
8 Paginanummers, voorafgegaan door 'p.'.

Voorbeeld

> Rubin, B., 'The writing of research texts: genre analysis and its applications', In: G. Rijlaarsdam, T.H. van den Bergh & M. Couzijn (red.), *Effective Teaching and Learning of Writing*, Amsterdam: Amsterdam University Press, 1996, Student Edition, p. 344-356.

Titelbeschrijvingen van elektronische bronnen

Een titelbeschrijving van een elektronische bron is vergelijkbaar met een titelbeschrijving van een boek of een bijdrage in een bundel. Elektronische bronnen veranderen regelmatig, dus printen is aan te raden. Vermeld altijd zo veel mogelijk gegevens, maar minimaal achtereenvolgens:

1 Naam van de auteur(s), voorletter(s) van de auteur(s) (zonder titulatuur) *of* naam van de redacteur(en), voorletter(s) van de redacteur(en) (zonder titulatuur). Bij meer dan drie auteurs resp. redacteuren volgt 'e.a.'.
2 Titel van de bijdrage en de eventuele ondertitel: cursief of – wanneer cursief niet mogelijk is – onderstreept.
3 Datum en jaar van publicatie op internet of datum van de laatste wijziging.
4 URL (het website-adres).
5 Datum van raadpleging.

Voorbeeld

> Kruiningen, J. van, *Noordster, Bron- en literatuurgebruik*, 11 oktober 2004, www.rug.nl/noordster/, geraadpleegd 6 juni 2008.

89

5.1.8 Literatuurverwijzingen

Het opnemen van een bibliografie alleen is niet voldoende als verantwoording van het gebruik van bronnen in de vorm van publicaties. Het is de bedoeling dat je in de tekst zelf ook aangeeft waar je je op welke publicatie baseert. Voor iedere in de bibliografie vermelde publicatie zou je kunnen stellen dat er minstens één literatuurverwijzing in het verslag opgenomen moet zijn, dus bijvoorbeeld: (Rubin, 1996: 345).

Deze verwijzing verwijst naar de titelbeschrijving van een bijdrage in een bundel die we in de vorige paragraaf als voorbeeld gaven. Voorwaarde voor opname in de bibliografie is natuurlijk dat je het werk ook werkelijk zelf ingekeken hebt.

Voor een juist gebruik van literatuurverwijzingen is het goed de logica erachter te begrijpen. Een literatuurverwijzing verwijst niet naar de bron zelf, maar naar de titelbeschrijving van de bron in de bibliografie. Hiermee kan de lezer dan zelf de geraadpleegde bron opzoeken. Een handige controle bij het gebruik van literatuurverwijzingen is dan ook na te gaan of een lezer via de verwijzing én de bibliografie tot het werkelijk gebruikte boek of tijdschrift kan komen. Heb je weinig publicaties gebruikt en gebruik je in plaats van een bibliografie noten met titelbeschrijvingen (zie paragraaf 5.1.9), dan verwijzen de literatuurverwijzingen naar deze noten.

90

Voor het opnemen van literatuurverwijzingen gelden de volgende regels:
1 Verantwoord alle uitspraken die niet van jezelf afkomstig zijn, tenzij een uitspraak een algemeen bekend feit betreft.
2 Zet de bron(nen) van een uitspraak onmiddellijk achter de uitspraak (tussen haakjes).
3 Neem in de literatuurverwijzing achtereenvolgens op:
   – de achternaam van de auteur, gevolgd door een komma;
   – het jaar van publicatie gevolgd door een dubbele punt;
   – de pagina's waarop de uitspraak of de weergave ervan in de publicatie gevonden kan worden.

   De pagina-aanduiding kan worden weggelaten als de aangehaalde uitspraak betrekking heeft op een groot deel van of op de gehele publicatie.
4 Laat de literatuurverwijzingen *exact* verwijzen naar de titelbeschrijvingen in de bibliografie.
5 Voeg, wanneer er in de bibliografie twee of meer verschillende auteurs met dezelfde achternaam staan, de voorletter(s) van de bedoelde auteur toe: (B. Rubin, 1996: 345).

6   Noem, wanneer een werk door meer dan één auteur geschreven is, alleen
    de naam van de eerste auteur, gevolgd door 'e.a.': (Omarsson-Bergsma e.a.,
    2004: 15).

7   Voeg, wanneer er in de bibliografie meer publicaties van een auteur uit het-
    zelfde jaar staan, net als in de bibliografie een kleine letter aan het jaartal
    toe: (Brink, 2003a: 543).

8   Refereer altijd aan de oorspronkelijke auteur; dus nooit aan (latere) bewer-
    kers, redacteuren of vertalers (dus bijvoorbeeld: De Groot in: De Boer,
    2008).

Voorbeelden van mogelijke literatuurverwijzingen

a   Het schrijven van een onderzoeksverslag is te vergelijken met
    het oplossen van een moeilijke puzzel (Rubin, 1996: 345).

b   Rubin (1996: 345) vergelijkt het schrijven van een onderzoeks-
    verslag in zijn artikel met het oplossen van een moeilijke
    puzzel.

c   Rubin (1996) vergelijkt het schrijven van een onderzoeks-
    verslag in zijn artikel met het oplossen van een moeilijke
    puzzel (p. 345).

d   Rubin (1996) vergelijkt het schrijven van een onderzoeks-
    verslag in zijn artikel met het oplossen van een moeilijke
    puzzel.

91

Zoals aan voorbeeld d te zien is, hoeft het paginanummer niet in alle gevallen
vermeld te worden. Wanneer je parafrases of samenvattingen van de geraadpleegde bron geeft, hebben deze nogal eens betrekking op het *hele werk* in
plaats van op *één speciale pagina*. Geef je echter letterlijk een deel van het
geraadpleegde boek of artikel weer, dan is het vermelden van het paginanummer *verplicht*. We spreken dan van 'citaten' (zie paragraaf 5.1.10).

5.1.9   Noten

Literatuurgegevens worden primair opgenomen in de bibliografie of literatuurlijst (zie paragraaf 5.1.7), maar wanneer er weinig (minder dan vier) bronnen te
vermelden zijn, volstaat opname in voet- of eindnoten. Voetnoten staan onder
aan de pagina, eindnoten staan aan het eind van een hoofdstuk of aan het eind
van het verslag. Om de lezer voor lange zoek- en bladertochten door het verslag
te behoeden, genieten voetnoten in de meeste gevallen de voorkeur.
In het zogenoemde 'notenapparaat' dat zo ontstaat, kun je de lezer wijzen op
informatie die weliswaar van belang is, maar waarvan opname in de tekst
afleidend of anderszins storend werkt.

Deze informatie kan:
- literatuur noemen die achtergrondinformatie verschaft bij de gegeven informatie;
- een toelichting geven bij gedane uitspraken;
- een verantwoording geven van passages in de tekst.

Noten worden doorlopend genummerd. Alleen wanneer een literatuurverslag veel noten behoeft, is nummering per hoofdstuk aan te bevelen. Het is echter beter het notenapparaat te beperken tot het minimum, en de noten zo kort en bondig mogelijk te formuleren. In noten wordt de voornaam van de auteur vaak voor de achternaam gezet. Sluit voor de passende notatiewijze van noten aan bij het notatiesysteem dat je gebruikt voor je literatuurverwijzingen.

5.1.10   Citaten
Citaten zijn letterlijk aangehaalde delen uit geraadpleegde publicaties. Ze worden altijd vergezeld van een literatuurverwijzing. Voor citaten gelden de volgende regels:
1   Neem alleen citaten op wanneer ze iets bij uitstek illustreren, van groot (historisch) belang zijn, of bijzonder relevant of passend zijn.
2   Zet letterlijk overgenomen delen van een publicatie tussen aanhalingstekens ('...'), en laat ze volgen door een literatuurverwijzing mét paginanummer.
3   Zorg dat de tekst van het citaat *letterlijk* overeenstemt met de brontekst (inclusief interpunctie en eventuele spelfouten).
4   Geef bewust weggelaten (want niet relevante of passende) passages aan door op de plaats van de weggevallen delen vierkante haken [...] te zetten.
5   Zet zaken die je binnen het citaat wilt verklaren tussen vierkante haken, met je eigen initialen erachter.
6   Markeer citaten langer dan drie regels door ervoor en erna een witregel te plaatsen en in te springen. Zet de literatuurverwijzing er linksonder.

Voorbeeld van een stuk tekst met citaten
Hierna volgt een citaat dat langer is dan drie regels. We springen dus in en geven een witregel:

> 'Citaten zijn letterlijke passages uit andere publicaties. Dergelijke aanhalingen zijn zinnig in twee gevallen:
> - Het gaat om een treffende formulering, bij voorkeur van een gezaghebbende auteur, bijvoorbeeld een definitie of een stelling die een bepaalde gedachte kernachtig uitdrukt.
> - Het is belangrijk dat uw lezer precies (letterlijk) weet wat de oorspronkelijke auteur gezegd of geschreven heeft, bijvoorbeeld om te begrijpen wat het verschil is met andere publicaties, of om goed te begrijpen waar de discussie over gaat.'
>
> (Bron: Steehouder e.a., 2006: 385)

92

Hierna gaat de lopende tekst weer verder. Wanneer het citaat korter is dan drie regels, mag het als volgt worden opgenomen: 'Citaten zijn letterlijke passages uit andere publicaties' (Steehouder e.a., 2006: 385).

5.1.11 Bijlagen

De bijlagen van het literatuurverslag bevatten materiaal dat als het in de tekst zelf wordt opgenomen, een rommelige structuur zou veroorzaken en/of voor een volledig begrip van het literatuurverslag zelf niet direct van belang is, maar inzicht geeft in bijvoorbeeld de resultaten of verzamelde gegevens door middel van gebruikte vragenlijsten, tabellen, bewijsstukken en brieven. De bijlage moet in de tekst op een passende plaats zijn aangekondigd.

Nummer de bijlagen, liefst met een aparte nummering, en geef ze ieder een eigen titel. De nummering correspondeert met de volgorde waarin er in de tekst naar verwezen is. Pas wel op dat de bijlagen niet gaan fungeren als een soort 'prullenbak' of 'te bewaren archief'. Neem alleen materiaal op dat voor lezers echt interessant is.

5.1.12 Verklarende woordenlijst/trefwoordenregister/index

Voor de wat lijviger referaten kan het handig zijn een verklarende woordenlijst of een index op te nemen. Een verklarende woordenlijst is raadzaam als veel vaktermen voor de lezer nieuw en na één keer verklaren niet vertrouwd zijn. Een register of index is in omvangrijke teksten en gebruikersdocumentatie praktisch voor lezers die snel bepaalde details willen vinden, of voor lezers die alles wat over een bepaald aspect in de tekst wordt opgemerkt willen bekijken.

5.2 Het (her)structureren van de hoofdtekst

Nadat je je op de hoogte hebt gesteld van de in paragraaf 5.1 besproken onderdelen van het literatuurverslag en de daarbij behorende inhoudseisen, kun je de structuur van de tekst opnieuw bekijken. Daarbij stel je vast welke delen van de concepttekst in welke onderdelen (zie paragraaf 5.1) opgenomen kunnen worden. Het in paragraaf 3.2 beschreven kaartsysteem kan je hierbij goede diensten bewijzen. Eerst bepaal je daartoe (eventueel in overleg met je opdrachtgever) welke onderdelen je literatuurverslag moet hebben. Daarna beslis je op grond van de inhoud welke delen van je concepttekst en/of welke 'kaarten' in welk onderdeel geplaatst moeten worden. Op deze manier orden je de informatie in je literatuurverslag door deze te categoriseren en vervolgens

te (her)ordenen. Leg daartoe eerst de (kaartjes met) inleidende en concluderende informatie apart (zie paragraaf 3.2). Je herkent inleidende informatie
aan haar algemene, overkoepelende, vooruitblikkende karakter en je herkent
concluderend materiaal aan het terugverwijzende, gevolgtrekkende karakter. Wat je overhoudt, is de informatie voor de hoofdtekst van het verslag (zie
paragraaf 5.1.6). De structuur hiervan wordt bepaald door de deelvragen en de
antwoorden daarbij, zoals weergegeven in het uitgewerkte tekstplan (zie paragraaf 3.4 en 4.2). Die deelvragen vormen de basis voor de hoofdstukken van
het literatuurverslag, waarbij de subvragen bij die deelvragen weer de basis
voor de paragrafen zullen vormen.

Van structuur tot samenhang

> De activiteiten die tijdens deze stap moeten worden uitgevoerd, zijn:
> 6.1 het bewerken van de hoofdtekst;
> 6.2 het aanbrengen van samenhang;
> 6.3 het verzorgen van de uiterlijke structuur.

Na de eerste vijf stappen van het schrijfproces (die zelden strikt in de volgorde verlopen die wij hier beschrijven) ligt er als alles goed gaat een logisch gestructureerde concepttekst van het literatuurverslag. Deze tekst moet nu zowel inhoudelijk als uiterlijk verder worden afgewerkt. Het inhoudelijke afwerken, het zogenoemde 'schaven aan de innerlijke structuur van de tekst', beschrijven we in dit hoofdstuk. Het afwerken van de uiterlijke structuur komt in deel 3 aan de orde.

De activiteiten die in deze stap uitgevoerd moeten worden, hebben alle te maken met de lezer. Vanaf deze stap is het noodzakelijk de inhoud van het concept niet alleen vanuit je positie als schrijver te beschouwen, maar vooral vanuit de positie die je lezer zal innemen.

6.1 Het bewerken van de hoofdtekst

Nu de informatie van het literatuurverslag een 'goede structuur' heeft, zal het verslag ook al de nodige samenhang bevatten. Een lezer kan er echter nog moeite mee hebben om je gedachtegang te volgen.

Om ervoor te zorgen dat jij je doel bereikt, dat wil zeggen: om ervoor te zorgen dat je lezer jouw tekst optimaal begrijpt, zul je de leesbaarheid van de tekst zo groot mogelijk moeten maken. Je lezers moeten zich zonder al te veel zoek- en puzzelwerk toegang kunnen verschaffen tot de door jou geboden informatie.

Het kan zijn dat je tekst ondanks de in paragraaf 4.2.2 beschreven aanvullingen nog enige bewerkingen of inkortingen moet ondergaan voordat deze leesbaarheid gegarandeerd is. Er kunnen bepaalde gedachtesprongen gemaakt zijn die jij wel begrijpt, maar die een lezer niet kan maken. Misschien is het zo dat je je lezer overschat. Maar ook het omgekeerde komt voor: misschien geef je meer informatie dan je lezer nodig heeft om de rode draad van je verhaal te volgen. De lezer voelt zich in zo'n geval al gauw beledigd, omdat hij 'beneden z'n niveau' wordt aangesproken. In beide gevallen zal de lezer geneigd zijn je tekst weg te leggen.

Hoe kom je er nu achter wat er nog moet worden bijgeschaafd? Om te controleren of je tekst aan de eisen voldoet, kun je de tekst natuurlijk het beste door iemand uit je beoogde lezersgroep (of iemand met ongeveer dezelfde kenmerken als de leden van je doelgroep) laten lezen. Het commentaar dat je krijgt kun je dan in je tekst verwerken. Het is echter niet in alle gevallen mogelijk een dergelijke 'proofreading' te laten uitvoeren. In de meeste gevallen moet je als schrijver zelf een dergelijke leestest doen. Je zult de tekst dan zo veel mogelijk door de ogen van de beoogde doelgroep moeten lezen. En dat is moeilijker dan het lijkt... Om je op weg te helpen geven we in de hierna volgende paragrafen aan op welke aspecten je hierbij moet letten.

6.1.1   Aanvullingen

Om te ontdekken of er in de tekst verduidelijkingen op de informatie nodig zijn, kun je je tijdens het herlezen van de tekst deze vragen stellen:
Is duidelijk welke deelvraag er in ieder tekstdeel als uitgangspunt fungeert?
Is duidelijk welk antwoord hierbij gegeven is?

Op een gedetailleerder niveau kun je vervolgens per deelvraag controleren of je op basis van de geschreven tekst een antwoord kunt vinden. Kun je dit niet, dan is een aanvullende verduidelijking nodig.

Zo'n verduidelijking kan bestaan uit de volgende handelingen.

Toevoegen van ontbrekende informatie

Het kan zijn dat er in de tekst belangrijke informatie ontbreekt. Dit kunnen details zijn, maar bijvoorbeeld ook verwijzingen. Vooral bij de introductie van een nieuw onderwerp in de tekst is het goed om na te gaan of de lezer de overgang zal kunnen volgen. Misverstanden moeten zo veel mogelijk worden voorkomen.

Voorbeeld

Willem van der Helm ontwierp zijn scheppingen voor een deel in de op Italiaanse voorbeelden gebaseerde stijl van het Hollands classicisme.

Kan worden:

Willem van der Helm, die tussen 1664 en 1671 vijf poorten in Leiden bouwde, ontwierp zijn scheppingen voor een deel in de op Italiaanse voorbeelden gebaseerde stijl van het Hollands classicisme, de favoriete stijl van de Hollandse regenten.

(Bron: de Volkskrant, 28 mei 1994)

Geven van een definitie van een onbekend begrip

Je kunt op verschillende manieren een definitie in de tekst verwerken. Je kunt het begrip eerst noemen en vervolgens uitleg geven, maar je kunt ook eerst de omschrijving geven en dan pas de naam geven. Verder kun je een onbekend begrip verduidelijken door een voorbeeld te geven, het begrip te vergelijken met iets soortgelijks dat wel bekend is, je kunt een synoniem geven of bijvoorbeeld onderdelen, functies of taken van het begrip noemen.

Voorbeeld

Het gevarieerd representeren van de werkelijkheid als netwerk van BO's en BS'en noemen we 'het BO-BS'-spel.

Kan worden:

Het gevarieerd representeren van de werkelijkheid als netwerk van besturende organen (BO's) en bestuurde systemen (BS'en) noemen we het BO-BS-spel.

(Bron: De Leeuw, 1988: 110)

97

Toelichten van gedachtegangen

Soms zet een schrijver de informatie-eenheden waaruit zijn tekst bestaat achter elkaar zonder te beseffen dat bepaalde verbanden tussen die eenheden wel in zijn eigen hoofd aanwezig zijn, maar niet in dat van de lezer. De lezer mist de voorkennis om een bepaalde gedachtegang te volgen en de schrijver vergeet deze gedachtegang te expliciteren.

Bij het nalezen van de geschreven tekst moet je je als schrijver afvragen of alle verbanden duidelijk genoeg zijn. Is dit niet het geval, dan zullen de impliciet gelaten gedachtegangen expliciet gemaakt moeten worden. Ga hierin echter nooit te ver. Te veel uitleg (bijvoorbeeld van algemeen bekende gedachtegangen) wekt ergernis bij lezers.

Voorbeeld

> *In de tekst staat*
> Door een uiteenzetting van de politieke benadering is duidelijk
> geworden dat het model van rationele besluitvorming tekortschiet bij
> het inzicht verkrijgen in strategievorming.
>
> *Gedachtegang*
> De rationele benadering gaat niet in op wat er zich tussen mensen
> afspeelt. De zwakte ligt in haar strikte logica.
>
> *Vervolg tekst*
> Het inzicht dat op basis van het rationele model wordt verkregen, is
> erg beperkt omdat ze op basis van objectief waarneembare omge-
> vingseisen tot een werkbare strategie wil komen.
>
> *Gedachtegang*
> Ze wil deze strategie over de gehele linie in de organisatie doorvoe-
> ren en heeft daarbij te weinig oog voor interne machtsprocessen en
> belangentegenstellingen.

De manier waarop je als schrijver toelichting geeft, hangt sterk af van het
thema van het literatuurverslag en het stuk tekst waarbij de verduidelijking
hoort. Het begrip 'besturing' krijgt in een tekst over ICT waarschijnlijk een
andere uitleg dan in een tekst over de inrichting van organisaties. Daarnaast
wordt de keuze voor de te geven toelichting bepaald door de doelgroep van de
tekst en het doel dat de schrijver wil bereiken.

6.1.2 Inkortingen

Naast de noodzaak tot het geven van aanvullingen kun je als schrijver bij het
herlezen van je tekst ook stuiten op juist een teveel aan woorden. Hoewel je
misschien denkt dat de lengte van je literatuurverslag evenredig is aan de
indruk die de lezer van je vakkennis krijgt, is het tegenovergestelde waar. Voor
een lezer (en dus ook voor een opdrachtgever c.q. beoordelaar) is het storend
wanneer een tekst in verhouding te veel woorden nodig heeft om relatief weinig te zeggen. Niet alleen is het dan al gauw lastig de kern van het verhaal op
te sporen, het kan ook de saaiheid van de tekst vergroten. Het grootste nadeel
van 'te veel vertellen' is echter dat de kans bestaat dat de lezer zich beledigd
voelt, omdat er te veel uitleg wordt gegeven bij zaken die bekend verondersteld
mogen worden. Zo'n tekst wordt als 'kinderachtig' bestempeld. Inkorten kan
in zo'n geval veel helpen. We gaan hier in op twee gevallen waarbij inkorten
raadzaam kan zijn.

Redundante informatie (inhoud)

Wanneer bij het doorlezen van de tekst opvalt dat het ene onderwerp (deel-vraag) onevenredig veel meer uitleg krijgt dan het andere, kun je je afvragen of er in die uitweidingen sprake is van 'redundante informatie'. Redundante informatie is informatie die als 'extra' betiteld kan worden en die geen werkelijke invloed heeft op de verhaallijn van de tekst. Er zijn twee mogelijkheden: of de schrijver weidt te veel uit bínnen het gekozen onderwerp (hij geeft bijvoorbeeld te veel onnodige details of voorbeelden), of hij is te breedvoerig búiten het gegeven onderwerp (wijkt af van het onderwerp, geeft te veel bijkomstigheden of informatie die niet ter zake doet).

Omhaal van woorden (formuleringen)

Niet alleen inhoudelijk kan een schrijver meer willen zeggen dan nodig is. Ook in de formulering kunnen te veel onnodige woorden worden gebruikt. We noemen het omhaal van woorden wanneer een schrijver een uitspraak door toevoegingen vervaagt, opklopt of gewichtiger maakt. Voorbeelden van dergelijke omslachtige toevoegingen zijn:

- met betrekking tot;
- gesteld kan worden dat;
- ten aanzien van;
- doen zich voor;
- ten gevolge van;
- is van mening;
- worden uitgeoefend;
- naamwoordstijl: 'het hanteren van', 'de stijging';
- lijdende vorm: 'kan worden vermeden', 'is onderhandeld'.

Voorbeeld

> Met betrekking tot het indienen van aanvragen kan worden gesteld dat deze uiterlijk 14 juni a.s. in het bezit van de personeelsfunctionaris dienen te zijn. Ten gevolge van de hiervoor geldende regeling voor tijdelijk aangestelde medewerkers kan zich echter het probleem voordoen dat deze datum vervroegd wordt tot 10 juni. Het hoofd Personeel & Organisatie is desalniettemin van mening dat deze vervroeging niet kan worden vermeden.
>
> *Kan worden*:
>
> Aanvragen moeten uiterlijk 14 juni a.s. in het bezit zijn van de personeelsfunctionaris. Voor tijdelijke medewerkers is deze datum vervroegd tot 10 juni.

99

Vanzelfsprekend is het steeds zaak je zo veel mogelijk in (de voorkennis, interesse en houding van) de lezer te verplaatsen. In hoofdstuk 7 wordt uitgebreid ingegaan op dergelijke formuleerkwesties.

6.1.3 Nuanceringen

Niet in alle gevallen zal een lezer klakkeloos geloven wat een schrijver in zijn tekst beweert. In die gevallen waarin twijfel kan ontstaan, is het nodig nuanceringen aan te brengen. Lees de tekst na op stellige uitspraken waarvoor geen duidelijke argumentatie wordt aangevoerd. Ga vervolgens na of je die uitspraken met argumentatie zou kunnen aanvullen.

Is dit niet het geval, dan is het in veel gevallen verstandig de uitspraak te nuanceren. Iets wat je niet zeker weet en waarvoor je geen overtuigend bewijs kunt leveren, kun je beter ook niet als zodanig presenteren. De lezer zou de betrouwbaarheid van je hele verhaal in twijfel kunnen trekken.

Kun je wel argumenten aanvoeren voor eventueel ter discussie te stellen uitspraken, maar ben je bijvoorbeeld vergeten deze argumenten expliciet te maken, dan kun je dit beter alsnog doen. Het vergroot de geloofwaardigheid als je in staat blijkt je standpunten te ondersteunen. Let er wel op dat je argumenten op zich aanvaardbaar zijn.

Voorbeeld

Nederlanders zijn zuiniger dan Belgen.

Nuancering:

Veel Nederlanders zijn zuiniger dan veel Belgen.

Argumentatie toegevoegd:

Nederlanders zijn zuiniger dan Belgen. Uit de overzichten van het Centraal Bureau voor de Statistiek blijkt dat ...

6.2 Het aanbrengen van samenhang

Als gevolg van de beschreven aanvullingen, inkortingen en nuanceringen kan de structuur van de tekst veranderen. Er kunnen immers delen van de tekst korter of langer zijn geworden dan aanvankelijk gepland. Nu is het zaak (weer) samenhang in de tekst aan te brengen. Het aanbrengen van samenhang in de tekst gebeurt in twee fasen: organisatie van de informatie en toelichting op de samenhang.

6.2.1   Organisatie van de informatie

De eerste stap op weg naar een samenhangende tekst is het logisch organise-ren van de informatie in de tekst. Zo zal op een in de tekst opgeworpen vraag logischerwijs een antwoord volgen, zullen standpunten worden onderbouwd met argumenten en zal na een vergelijking van twee zaken vaak een conclusie volgen. Het kan nodig zijn, bijvoorbeeld naar aanleiding van aanvullingen, de volgorde van de tekstdelen nog wat te veranderen. Op dit punt zul je als schrijver moeten kiezen of je de oorspronkelijke tekstvolgorde wilt aanhouden (en dus eventuele aanvullingen die daarin niet blijken te passen weghalen), of dat je de gekozen opzet wilt wijzigen. In het laatste geval zul je opnieuw moeten nagaan wat nu de meest logische volgorde van de deelvragen en hun antwoorden is. Dit is een goed voorbeeld van de in de introductie beschreven wisselwerking tussen de rondes van het schrijfproces. Je gaat hier eigenlijk even terug naar de ronde Voorbereiding.

Een handige werkwijze kan de volgende zijn.

1   *Houd overzicht over de deelvragen die in de tekst beantwoord worden.*
    Zet de deelvragen bijvoorbeeld nog eens op een kladblaadje onder elkaar, in de volgorde waarin ze in de tekst voorkomen.

2   *Controleer of de deelvragen logisch passen bij de probleemstelling.*
    Uitgangspunt hierbij is dat er na het beantwoorden van alle deelvragen een antwoord gegeven moet kunnen worden op de probleemstelling, en dat er geen deelvraag bij mag zitten die meer vertelt dan de probleemstelling vraagt. Met andere woorden: de deelvragen mogen samen niet smaller, maar ook niet breder zijn dan de centrale vraag.

3   *Zet de deelvragen en hun antwoorden in een logische volgorde.*
    De logische volgorde kan worden gevonden aan de hand van de indelings-principes die we in paragraaf 2.3 gaven. Kern van zo'n principe is (en dat is belangrijk in iedere tekst) dat informatie die bij elkaar hoort ook echt bij elkaar moet staan.

4   *Lees de antwoorden bij de deelvragen door en distilleer de thema's die hierin aan de orde komen.*
    Groepeer per deelvraag de thema's in alinea's. Zorg ervoor dat elke alinea slechts één subthema (onderwerp, idee of uitspraak) behandelt. Let wel: een goede alinea-opbouw is alleen te maken als de informatie in de tekst goed gegroepeerd is.

Handige vuistregels hierbij zijn:
- gaat een nieuwe zin over hetzelfde onderwerp als de vorige, dan hoort hij in dezelfde alinea;
- wordt er in een zin een nieuw aspect aangesneden, dan hoort er ook een nieuwe alinea te beginnen. (Let op: in een alinea lopen de zinnen achter elkaar door; begin iedere nieuwe zin dus niet op een nieuwe regel.)

5 *Organiseer de informatie in elke alinea zo, dat het belangrijkste van de alinea (het subthema, het onderwerp, de belangrijkste uitspraak) vooropstaat.*
Dit is de plaats waar de lezer de kern van de informatie verwacht, en door als schrijver gebruik te maken van deze zogenoemde 'voorkeursplaats' voorkom je dat de lezers onnodig veel energie stoppen in het zoeken naar de kern. Let op: zet overkoepelende zinnen als 'wat is hier nu het voordeel van?' dus niet onderaan de vorige alinea, maar bovenaan de alinea die op deze vraag ingaat, en probeer verwijzingen naar voorafgaande alinea's te voorkomen. Hiermee tast je het zelfstandige karakter van de alinea aan.

6 *Probeer alinea's die in verhouding erg lang zijn aan de hand van hun thematische opbouw te splitsen, en alinea's die te kort zijn – en bijvoorbeeld uit slechts één zin bestaan – samen te voegen door een overkoepelend (sub)thema te vinden.*

7 *Zet nu de belangrijkste alinea's vooraan, en de concluderende alinea's achteraan (ook op tekstniveau moeten de voorkeursplaatsen optimaal worden benut).*

6.2.2 Toelichting op de samenhang

Als de *organisatie* van de tekst samenhangend is, moet deze samenhang aan de lezer duidelijk worden gemaakt. Dit betekent dat je als schrijver zult moeten toelichten en motiveren hoe (en waarom) je de tekst (zo) opgebouwd hebt. Je moet de innerlijke structuur die de tekst heeft *uiterlijk* verduidelijken. Dit kan op verschillende manieren.

1 *Geef vooruitblikken, bijvoorbeeld in inleidingen.*
In het vorige hoofdstuk is toegelicht hoe de fusie kan verlopen. Maar wat zijn nu de voor- en nadelen van een fusie als deze? Voordat hierop ingegaan wordt, worden in dit hoofdstuk eerst de mogelijke gevolgen van een fusie aan de orde gesteld.
Maar geef ook in de tekst zelf de samenhang aan door vooruit te blikken:
Wat gebeurt er nu als twee bedrijven fuseren? Er zijn duidelijke gevolgen te noemen ...

2   *Geef terugblikken, bijvoorbeeld in samenvattingen.*
    Er zijn dus vier gevolgen te noemen van een fusie.
    Of explicieter:
    We zagen in paragraaf 4.1 dat er vier gevolgen te noemen zijn van een fusie.

3   *Markeer overgangen van het ene (sub)thema naar het andere.*
    Het markeren van overgangen is eigenlijk niets anders dan het koppelen van een terugblik op het voorafgaande aan een vooruitblik op wat volgt. Gebruik hiervoor overgangsalinea's, -zinnen of -woorden. Een lezer heeft dergelijke koppelingen nodig om het overzicht over de onderdelen van je verhaal te behouden én om de verbanden hiertussen te kunnen begrijpen. Je kunt een overgang ook motiveren door uit te leggen *waarom* je van het ene op het andere onderwerp overstapt.

Voorbeeld overgangsalinea

We hebben nu gezien waaruit het probleem van een fusie bestaat. Om een overzicht van mogelijke oplossingen te kunnen geven, zullen we eerst de oorzaken van dit probleem moeten achterhalen. In de volgende paragraaf (2.1) wordt ingegaan op de organisatie-interne oorzaken; in paragraaf 2.2 gaan we in op de oorzaken buiten de organisatie.

Voorbeeld overgangszin

In de vorige alinea werd een mogelijke verklaring besproken. Er is echter nog een ander proces dat het genoemde probleem zou kunnen verklaren ...

4   *Maak het soort verband controleerbaar en begrijpelijk.*
    Er zijn verschillende soorten verbanden te noemen: opsommende, tegenstellende, chronologische, oorzakelijke, redengevende, illustrerende, toelichtende, concluderende en samenvattende verbanden.

    Het soort verband is te herkennen aan het overgangswoord.

    – *Opsommend verband*
      bovendien, ten eerste, ten tweede, ten slotte, nog een ...

    – *Tegenstellend verband*
      maar, toch, echter, enerzijds, anderzijds, niettemin, hoewel ...

103

- *Chronologisch (of tijd-)verband*
  eerst, voordat, zolang, nadat, terwijl, volgende, vervolgens, daarna ...

- *Oorzakelijk verband*
  doordat, daardoor, zodat, door ...

- *Redengevend verband*
  door, daarom, derhalve, omdat, vanwege, om die reden ...

- *Illustrerend/toelichtend verband*
  bijvoorbeeld, zoals, ter illustratie, een voorbeeld is ...

- *Concluderend/samenvattend verband*
  dus, samenvattend, kortom, concluderend ...

5 *Gebruik duidelijke verwijzingen.*
  Lezers vinden thema's in de tekst onder andere door uit te zoeken naar
  welke woorden veel wordt terugverwezen. Het is daarom zaak dat verwijzingen duidelijk zijn. Mogelijkheden zijn:

- *Verwijzende voornaamwoorden*
  hij, zij, die, het, deze ...

- *Verwijzende woordgroepen*
  dit verschijnsel, dit proces, deze voordelen, de genoemde onderdelen,
  op dat moment, dergelijke problemen ...

- *Andere verwijswoorden*
  daardoor, ermee, erbij, hierop ...

6.3 Het verzorgen van de uiterlijke structuur

Bij het toelichten van de samenhang houd je deels al rekening met de uiterlijke structuur van de tekst. Deze uiterlijke structuur kenmerkt zich door het
gebruik van alineascheidingen, kopjes, markeringen enzovoort. Het is van
belang dat de uiterlijke structuur past bij de innerlijke structuur (de inhoudelijke opbouw in deelvragen en antwoorden) van de tekst.

6.3.1 Structuuraanduidende onderdelen

Van de in paragraaf 5.1 genoemde onderdelen gelden de volgende als zogenoemde 'structuuraanduiders'. Zij geven – mits duidelijk en correct weergegeven – expliciete informatie over de opbouw van de tekst:

- de inhoudsopgave;
- inleidingen (een algemene inleiding en inleidingen per hoofdstuk en/of
  paragraaf);
- het slot: de samenvatting of conclusie.

Voor het invullen van deze onderdelen verwijzen we naar hoofdstuk 5.

6.3.2 Titels

Titels hebben, net als inleidingen, zowel een *motiverende* als een *structurerende*
functie. Ze moeten aantrekkelijk zijn, maar in zakelijke teksten geldt vooral:
ze moeten duidelijk maken welke onderwerpen dit stuk tekst behandelt. Titels
spelen een rol in het verduidelijken van de samenhang doordat ze inhoudelijke informatie geven over de achtereenvolgende thema's, en daarmee over de
opbouw van het verslag. Titels en tussenkoppen helpen de lezer dus de structuur van de tekst te doorgronden. Ze zijn als het goed is voldoende aantrek-
kelijk/interessant geformuleerd om de lezer te kunnen bewegen door te lezen.
Daarnaast hebben titels ook nog een *selectieve* functie: ze helpen de lezer bij
het zoeken en selecteren van informatie (Steehouder e.a., 2006: 226).
Goede titels ontstaan als je de volgende fasen doorloopt:

1 *Geef het verslag een titel*
   - die de aandacht trekt;
   - die het thema van het verslag duidelijk aangeeft;
   - die de belangrijkste trefwoorden voor de inhoud geeft.

2 *Geef hoofdstukken en paragrafen titels*
   In hoofdstuk 4 adviseerden we de titels van de hoofdstukken en paragrafen
   die ontstaan door het beantwoorden van deel- of subvragen slechts voorlopig te formuleren. Als werktitel kon daarvoor de deel- of subvraag zelf
   worden gekozen.
   In dit stadium is het zaak deze werktitels te vervangen door duidelijke
   (aan)sprekende titels.

3 *Markeer belangrijke (groepen) alinea's met (tussen)koppen*
   Vooral in langere hoofdstukken en paragrafen die opgebouwd zijn uit veel
   alinea's is het aanbevelenswaardig tussenkoppen te gebruiken. Ook hier
   geldt weer dat alle tussenkoppen dezelfde vorm moeten hebben (zie de
   vuistregels hierna).

105

Het verband tussen het hoofdstuk en de paragrafen moet duidelijk zijn. Informatieve titels geven deze duidelijkheid door de kern van de tekst aan te duiden. Zo wordt de strekking van de paragraaf 'Het probleem' inzichtelijker door dit probleem bij naam te noemen, zoals in: 'De aanpak van de interne bedrijfsmilieuzorg'.

Vuistregels bij het formuleren van titels zijn:
- Geef titels op hetzelfde niveau dezelfde vorm: een vraag, woord, woordgroep, mededeling, maar niet: dan het één, en dan weer het ander.
- Markeer titels door ze vet of cursief te zetten. Doe dit consequent, geef titels op hetzelfde niveau dezelfde markering. Werk niet met te veel soorten markeringen.
- Laat titels voorafgaan door een cijfer dat de ordening van de tekst weerspiegelt. Ga nooit verder dan het vierde niveau: 1.1.1.1.
- Geef titels op hetzelfde niveau hetzelfde type cijfer/dezelfde letter.

Voorbeeld

> *Niet:*
> 1. Het bellen binnen de stad
> ii. Interlokaal telefoneren
> c Hoe u internationale gesprekken voert
> *Maar:*
> 1 Lokaal telefoneren
> 2 Interlokaal telefoneren
> 3 Internationaal telefoneren
> *Of:*
> A Bellen met mensen in uw eigen telefoondistrict
> B Bellen met mensen in andere telefoondistricten in Nederland
> C Bellen met mensen in het buitenland

6.3.3   Teksteenheden

De alinea, zo zagen we in paragraaf 6.2.1, kan worden gezien als de thematische basiseenheid van de tekst. Dit betekent dat elke alinea één (sub)thema of onderwerp behandelt.

Om de alineastructuur te verduidelijken en de overgangen van het ene naar het andere onderwerp te markeren, moeten de alinea's goed van elkaar te onderscheiden zijn. Omdat alinea's samen weer tekstblokken kunnen vormen die een overkoepelend thema behandelen, moet ook de indeling in dergelijke 'tekstblokken' inzichtelijk zijn.

Ten slotte is het goed om opsommingen duidelijk van de rest van de tekst te scheiden. Op die manier kan een lezer de hiërarchische structuur van de tekst doorzien. Dit kan als volgt:

1   *Markeer alinea's*
    – door deze met witregels van elkaar te scheiden;
    – door ze in te laten springen.

2   *Markeer tekstblokken*
    Gebruik voor de markering van een tekstblok (groep alinea's) een witregel.

3   *Markeer opsommingen*
    Kondig de structuur aan van langere opsommingen.

> De zes meest voorkomende oorzaken komen in volgorde van belangrijkheid aan de orde.

Geef aan uit hoeveel onderdelen een opsomming bestaat.

> *Niet:* Deze methode heeft een aantal voordelen.
> *Maar:* Deze methode heeft vijf voordelen.

Zorg ervoor dat de elementen van een opsomming herkenbaar zijn; gebruik voor ieder element dezelfde markering.

> Ten eerste, Ten tweede.
> *Of:* Gebruik cijfers, letters of andere markeringen (zoals rondjes of streepjes).

Geef de elementen steeds dezelfde vorm (werkwoord, zelfstandig naamwoord).

> *Niet:*
> Uit het onderzoek komt naar voren:
> 1   dat de vraag naar videorecorders met 15% is gedaald;
> 2   een stijging van de productie van videorecorders met 23%.
> *Maar:*
> Uit het onderzoek komen twee ontwikkelingen naar voren:
> 1   een daling van de vraag naar videorecorders met 15%;
> 2   een stijging van de productie van videorecorders met 23%.

Bijlage II
Checklist van bij de inhoud
uit te voeren activiteiten

Stap 4: van uitgewerkt tekstplan tot eerste concept

Activiteit 4.1: het bepalen van je schrijfstijl
Bedenk welke schrijfstijl je wilt gaan gebruiken. Houd daarbij niet alleen rekening met je persoonlijke smaak, maar denk ook aan je doel en aan de kenmerken, voorkennis en interesses van je doelgroep. Overleg met de opdrachtgever
of er bepaalde stijlnormen of -conventies gelden voor het literatuurverslag.

Activiteit 4.2: het uitschrijven van het uitgewerkte tekstplan
Werk je tekstplan uit tot een concepttekst. Vul datgene wat je al had bedacht
aan met preciseringen, toelichtingen, voorbeelden, verantwoordingen, enzovoort.
Concentreer je op de inhoud van de tekst en besteed nog geen aandacht aan
de formulering. Je bent zelf de enige die deze probeersels onder ogen krijgt;
schrijf dus rustig zinnen van een halve bladzijde lang. Aarzel niet een bena-
derende omschrijving in enkele zinnen te geven als je niet direct op een bon-
diger formulering komt.
Dwing jezelf in een hoog tempo door te schrijven en weinig terug te lezen.
Gebruik als titel voorlopig je onderwerp of probleemstelling, en als hoofdstuk-
en paragraaftitels je deelvragen en antwoorden uit je tekstplan. Later kun je
deze titels herzien.

Stap 5: van eerste concept tot gestructureerde tekst

Activiteit 5.1: het bepalen van de onderdelen van de tekst

Stel vast welke onderdelen het verslag krijgt. Houd rekening met de geldende randvoorwaarden (zie paragraaf 1.4), maar bedenk ook of je concept de informatie bevat die in deze onderdelen past. We herhalen het overzicht:

1 omslag
2 titelpagina
3 voorwoord
4 inhoudsopgave
5 samenvatting
6 HOOFDTEKST
  6a inleiding
  6b kern
  6c slot
7 bibliografie
8 noten
9 bijlagen
10 trefwoordenregister/index

De kern van de hoofdtekst bevat de eigenlijke inhoud van het verhaal, naar (sub)thema verdeeld over hoofdstukken en paragrafen.

Activiteit 5.2: het (her)structureren van de hoofdtekst

Na activiteit 5.1 heb je eigenlijk al een inhoudsopgave van je verslag. Bepaal nu waar de delen van de concepttekst thuishoren. Let daarbij steeds op de 'aard' van het desbetreffende onderdeel. Plaats alleen de in paragraaf 5.1 beschreven soort informatie in het daar omschreven onderdeel.

Met de concepttekst heb je al de benodigde informatie om de diverse onderdelen te 'vullen'. Het is nu een kwestie van schuiven met stukken tekst om het literatuurverslag innerlijk én uiterlijk de juiste structuur te geven. Natuurlijk kan het voorkomen dat bepaalde informatie nog ontbreekt of dat stukken tekst overbodig blijken. Het is hier zaak de leemten en/of overbodigheden te markeren en aan te vullen of te verwijderen. Houd ook hier goed in de gaten dat je 'indicatief' schrijft, dus op basis van bronnen. Scheid stukken eigen tekst van tekst gebaseerd op bronteksten met behulp van literatuurverwijzingen.

Stap 6: van structuur tot samenhang

Activiteit 6.1: het bewerken van de hoofdtekst

Laat je tekst door iemand 'proeflezen', of lees de tekst zelf na op samenhang.
Markeer tekortkomingen in de tekst met behulp van de volgende vragen.

Bewerken
- Is duidelijk welke deelvraag er in ieder tekstdeel als uitgangspunt fungeert?
- Is duidelijk welk antwoord hierbij gegeven is?

Aanvullen
- Ontbreekt er geen informatie?
- Zijn voor de lezer onbekende begrippen voldoende nauwkeurig omschreven c.q. gedefinieerd?
- Zijn gedachtesprongen voldoende geëxpliciteerd?

Inkorten
- Bevat het literatuurverslag geen redundante informatie (onnodige details, voorbeelden, uitweidingen en dergelijke)?
- Zijn er niet te veel woorden gebruikt om bepaalde informatie te verstrekken?

Nuanceren
- Zijn gedane uitspraken (feiten en meningen) voldoende onderbouwd?

Verbeter de tekst op de aangemerkte punten. Doe dit pas als je een compleet overzicht hebt, dat wil zeggen nadat je de tekst *helemaal* hebt doorgelezen.

Activiteit 6.2: het aanbrengen van samenhang

Controleer de samenhang van de in structuur gezette en aangevulde tekst.
Beantwoord hierbij de volgende vragen.

Organisatie van de informatie
- Zijn alle deelvragen beantwoord?
- Passen de deelvragen logisch bij de te beantwoorden centrale vraag (de probleemstelling)? Zijn ze niet smaller, maar ook niet breder?
- Staan de deelvragen en hun antwoorden in een logische volgorde?
- Is de alinea-indeling juist; dat wil zeggen: bevat iedere alinea niet meer dan één subthema en zijn extreem lange c.q. korte alinea's vermeden?
- Staat het belangrijkste in iedere alinea voorop?

111

Toelichting op de samenhang
- Zijn er voldoende vooruit- en terugblikken gegeven (in inleidingen, samenvattingen en op andere plaatsen waar motivatie of toelichting nodig is)?
- Zijn overgangen van het ene naar het andere (sub)thema voldoende gemarkeerd?
- Is de aard van het verband steeds controleerbaar en begrijpelijk?
- Zijn alle verwijzingen duidelijk?

Activiteit 6.3: het verzorgen van de uiterlijke structuur
Zorg dat de uiterlijke structuur van het literatuurverslag 'past' bij de (in activiteit 5.2 tot en met 6.2 verzorgde) innerlijke structuur. Besteed daarbij aandacht aan de volgende aspecten:
- Optimaliseer de functie van de zogenoemde 'structuuraanduidende onderdelen': inhoudsopgave, inleiding en slot.
- Geef het literatuurverslag en de hoofdstukken en paragrafen definitieve titels (met nummering).
- Markeer belangrijke (groepen) alinea's middels (tussen)koppen.
- Markeer alinea's, tekstblokken en opsommingen met behulp van inspringen en witregels.

RONDE **3** afwerking

STAP 7   **Van samenhang tot formuleren**

7.1 het herschrijven op moeilijkheid

7.2 het herschrijven op levendigheid

7.3 het herschrijven op beknoptheid

7.4 het herschrijven op correctheid ——— herschreven tekst

STAP 8   **Van formuleren tot presenteren**

8.1 het verzorgen van de lay-out

8.2 het opnemen van schema's,
     tabellen en illustraties ——— opgemaakte tekst

STAP 9   **Van presenteren tot inleveren**

9.1 het controleren van de inhoud

9.2 het controleren van de structuur

9.3 het controleren van de samenhang

9.4 het controleren van de stijl

9.5 het controleren van de uiterlijke afwerking

9.6 het printen, binden en inleveren——— literatuurverslag

Afwerking

In deel 2 werd stapsgewijs besproken hoe je van een schrijfopdracht tot een eerste concept van een zakelijke tekst komt. Na het genereren van de informatie en het structureren en formuleren is – als laatste – de uiterlijke presentatie van belang. Wat daar allemaal bij komt kijken wordt in dit derde deel besproken. Allereerst nog twee adviezen: het is raadzaam de tekst even weg te leggen en het is verstandig een 'proeflezer' je tekst te laten lezen, zodat deze je bruikbare kritiek kan leveren.

Daarnaast adviseren we je de taak van de herziening van de concepttekst uit te splitsen in stappen waarin je op deelaspecten let. Per stap zullen we in de navolgende hoofdstukken adviezen formuleren. Belangrijk uitgangspunt is het onderscheid tussen herschrijven en redigeren. Herschrijven is het verbeteren van het schrijfproduct op het niveau van de hele tekst. Redigeren is veel minder ingrijpend; dit is het verbeteren van tekst op woord- en zinsniveau (formuleringen, spelfouten), ofwel het 'drukklaar' maken van de tekst.

Van samenhang tot formuleren

De activiteiten die tijdens deze stap moeten worden uitgevoerd, zijn:
7.1 het herschrijven op moeilijkheid;
7.2 het herschrijven op levendigheid;
7.3 het herschrijven op beknoptheid;
7.4 het herschrijven op correctheid.

Na het doorlopen van de eerste twee stappen van deze ronde ligt er waarschijnlijk een tekst die al aan veel van de voorwaarden voor een goede tekst voldoet. Voordat het verslag klaar is, moet er echter nog wel het een en ander gebeuren. De begrijpelijkheid van een tekst hangt namelijk niet alleen af van de inhoud en de manier waarop die gerangschikt is. Ook de moeilijkheid, levendigheid, beknoptheid en correctheid van de tekst spelen een rol. We hebben het dan over de formulering, ofwel de 'stijl' van de tekst.[9]

7.1 Het herschrijven op moeilijkheid

Hoe moeilijk een literatuurverslag mag zijn, is niet te zeggen. Bepalende factor is in de eerste plaats de doelgroep waarvoor je de tekst schrijft. Hoe intelligent en belezen deze ook is, een tekst met veel moeilijke woorden en lange zinnen zal geen enkele lezer blij maken. Denk eraan dat jouw 'geletterdheid' niet zal blijken uit het aantal complexe formuleringen dat je kunt bouwen. Het is pas een prestatie om moeilijke zaken op een heldere wijze te beschrijven. Toch moet je aan de andere kant waken voor een al te simpele schrijfstijl. Een lezer die 'te makkelijk' wordt aangesproken, zal zich al gauw onderschat voelen.

---

9 Enkele voorbeelden in dit hoofdstuk zijn gebaseerd op voorbeelden door Elling & Andeweg, 1990.

7.1.1   Moeilijke woorden en vaktermen

Om de complexiteit van de tekst niet onnodig te vergroten raden we je aan moeilijke woorden zoveel mogelijk te vermijden. Je kunt ze bijvoorbeeld vervangen door een korte omschrijving. Voor sommige woorden is het echter niet gemakkelijk een eenvoudiger of bekender woord te vinden. Andere woorden zijn op zichzelf niet zozeer moeilijk, maar worden wel als zodanig ervaren omdat ze naar een moeilijk begrip verwijzen. Zo is 'chaostheorie' op zich geen moeilijk woord, maar is het begrip waarnaar het verwijst zeer complex. We maken hier dan ook onderscheid tussen *moeilijke woorden* en *vaktermen*.

Moeilijke woorden

Wat zijn moeilijke woorden? We geven hier vijf soorten woorden die in het algemeen als 'moeilijk' door het leven gaan. Achter elk woord geven we het mogelijke 'eenvoudige' alternatief.

1   *Onnodige vaktermen*
convenience goods wenst de   →   dagelijkse levensbehoeften wenst
consument dicht bij huis te   de koper dicht bij huis te kunnen
kunnen kopen   kopen

2   *'Intellectuelenwoorden'*
anticiperen   →   vooruitlopen op
conveniëren   →   schikken
arbitrair   →   willekeurig
tolereren   →   dulden, toestaan
evident   →   duidelijk

3   *Lange woorden (vaak samenstellingen)*
we geven hier enkele   →   u moet het apparaat als volgt
aansluitingsvoorschriften   aansluiten
voor het apparaat

4   *Schrijftaalwoorden*
aangezien   →   omdat
aldus   →   zo
betreffende   →   over
niettemin   →   toch
evenzeer   →   ook
ten behoeve van   →   voor
wellicht   →   misschien
zulks   →   dit (dat)

5   *Leenwoorden*
commitment   →   motivatie

Niet altijd is vervangen de oplossing; soms zijn dergelijke woorden zo ingeburgerd dat je lezer meer moeite heeft met de vereenvoudiging die je geeft dan met het oorspronkelijke 'moeilijke' woord. Daarnaast is het voor de herkenbaarheid soms beter bepaalde begrippen met één woord in plaats van met een omschrijving aan te geven.

Denk er ook aan dat met het vervangen van moeilijke woorden je tekst niet gemakkelijker wordt. Ook de *toon* van je stuk verandert. De tekst wordt minder 'ambtelijk-formeel' en meer 'alledaags-informeel'. Of je dit wil, hangt af van de doelen (en de doelgroep) die je met je tekst wilt bereiken.

Vaktermen

Vaktermen zijn woorden die in een bepaald vakgebied gebruikt worden om objecten en handelingen binnen dat vakgebied te benoemen. Voor niet-ingewijden zijn vaktermen vaak onbegrijpelijk. Schrijf je voor een bredere doelgroep, dan is het raadzaam de door jou gebruikte vaktermen te verklaren. Ook als je schrijft voor vakgenoten is het goed de specifieke termen die je gebruikt te omschrijven. Van sommige vaktermen bestaan nu eenmaal meerdere omschrijvingen en het is belangrijk dat je lezer weet van welke omschrijving jij in je verslag uitgaat.

Zo wordt onder het begrip 'niche' in de oecologie (biologie) iets heel anders verstaan dan in de marketing (bedrijfseconomie). Betekent het in de oecologie zoveel als 'de plaats van een dier- of plantensoort in het netwerk van betrekkingen tot zijn vijanden en zijn voedsel', in de marketing is een niche 'een klein gedeelte van de markt of een marktsegment dat door de grote aanbieders genegeerd wordt'. Maar ook binnen de oecologie bestaan er verschillende opvattingen over de betekenis van een niche.

Dit kan een belangrijk verschil uitmaken in de interpretatie van én de controle op dat wat je schrijft. Bovendien vermijd je dat de lezer vaktermen die in het dagelijks leven iets anders betekenen met elkaar verwart. Het woord 'energie' betekent bijvoorbeeld in de natuurkunde iets heel anders dan in het dagelijks taalgebruik, net als de term 'misdrijf' in de wereld van het recht een specifiekere betekenis heeft dan in de dagelijkse praktijk.

Je kunt vaktermen op meerdere manieren verklaren.

1   *Geef een synoniem*

▌   Een 'laudatio' is een lofrede.

2   *Schrijf afkortingen voluit*

I   'BO' staat voor besturend orgaan.

3   *Geef een omschrijving met een kenmerkende eigenschap van het object waar-*
     naar de term verwijst

I   Een 'laudatio' is een rede waarin de promotor tijdens een promotie de
     redenen voor het verlenen van de doctorstitel uitspreekt.

Er worden nogal eens omschrijvingen of definities gegeven die niets verduidelijken. Bij het verklaren van vaktermen gelden daarom de volgende waar-
schuwingen.

1   *Gebruik in de verklarende omschrijving niet opnieuw onbekende (vak)termen,*
     of leg ook deze uit

I   *Niet:* De systeembenadering is de benadering waarbij de organisa-
     tie gezien wordt als een levend systeem of als een sociotechnisch
     systeem.

2   *Gebruik de term die je verklaart niet opnieuw in de verklaring (een 'circulaire*
     definitie')

I   *Niet:* Een architect is iemand die zijn werk heeft op het terrein van de
     architectuur.

3   *Geef geen onnodig negatieve definitie door aan te geven wat de term niet bete-*
     kent

I   *Niet:* Een commerciële organisatie is een organisatie die geen non-
     profitorganisatie is.

4   *Geef geen te ruime of te smalle definities*

I   *Niet:* Socialistische partijen zijn partijen die verkleining van de inko-
     mensverschillen nastreven. (Te breed, omdat meer partijen dit nastre-
     ven.)

     Niet: Onder een beleidsproces verstaat men de voorbereiding, bepa-
     ling en uitvoering van een beleid. (Te smal, want een beleidsproces
     omvat meer.)

5   Geef geen gekleurde definities; definities waarin een duidelijk, niet tot de omschrijving behorend oordeel doorklinkt

> Niet: De agency-theorie is een theorie die als grondgedachte het vreemde idee heeft dat de relatie tussen managers en ondergeschikten te zien is als de relatie tussen economisch handelende subjecten die in een bepaalde contractuele relatie staan.

6   Geef eigen definities nooit als algemeen geaccepteerde definities weer

> Niet: Een socialistische partij is een partij die de dictatuur van het proletariaat nastreeft.

Natuurlijk geldt verder ook bij vaktermen het advies deze alleen te verklaren wanneer de mogelijkheid bestaat dat de lezer *zonder* verklaring in de problemen komt.

7.1.2   Moeilijke zinnen

Hoe makkelijk de woorden in je literatuurverslag ook zijn, als ze in moeilijk te doorgronden zinnen staan, heeft de lezer nog steeds een probleem. Natuurlijk heeft de ene lezer wat meer ervaring met het lezen van ingewikkelde teksten dan de andere, maar over het algemeen geldt ook hier: vermijd onnodige moeilijkheden.

We onderscheiden hier drie soorten moeilijke zinnen: lange zinnen, tangconstructies en omslachtige formuleringen.

Lange zinnen

Lange zinnen worden vaak als moeilijk ervaren omdat het de lezer moeite kost de precieze lijn van het verhaal te volgen. Lange zinnen bevatten vaak veel bijzinnen, waardoor je het eigenlijke onderwerp van de zin uit het oog kunt verliezen.

1   Rafel lange zinnen zo veel mogelijk uiteen

> Deze paragraaf kort samenvattend kunnen we concluderen dat veel lezers het lastig vinden moeilijke zinnen te lezen, en het voor een schrijver dus aan te raden is deze zo veel mogelijk te vermijden, waarbij niet alleen gelet moet worden op het aantal woorden dat een zin bevat, maar ook op de hoeveelheid bijzinnen die in de zin zijn opgenomen.

> *Kan worden:*
>
> Deze paragraaf kort samenvattend kunnen we concluderen dat veel lezers het lastig vinden moeilijke zinnen te lezen. Het is daarom voor een schrijver aan te raden deze zinnen zoveel mogelijk te vermijden. Bij het verbeteren van de tekst moet niet alleen gelet worden op het aantal woorden dat een zin bevat, maar ook op de hoeveelheid bijzinnen die in de zin zijn opgenomen.

2 *Voorkom niet afgemaakte bijzinnen*

> Wat de leden van een bedrijf zien, wat zij als belangrijk ervaren, is van groot belang en bepaalt de cultuur van het bedrijf waarvan het de vraag is of die wel functioneel is voor dat bedrijf, met het oog op de missie en de doeleinden.
>
> *Dit wordt:*
>
> De cultuur van een bedrijf is van groot strategisch belang. Ze wordt bepaald door wat de leden van een bedrijf als belangrijk ervaren. De vraag is of de cultuur wel functioneel is voor dat bedrijf, uitgaande van de missie en de doeleinden.

In de laatste zin is ook opvallend dat de kern van het verhaal naar voren is gehaald. Dit maakt het thema duidelijker.

Tangconstructies

Een tangconstructie (of 'klemconstructie') is een zin of een deel van een zin waarin tussen twee woorden die bij elkaar horen, andere woorden zijn gevoegd. Vermijd tangconstructies waar dat kan. Dit kan op verschillende manieren.

1 *Zet de persoonsvorm en het gezegde zoveel mogelijk bij elkaar*

> In een bedrijf dat zijn cultuur, waarin de nadruk ligt op een goede verstandhouding met de omgeving, door een positief imago uit te dragen wil handhaven, vinden de werknemers alles wat daarvoor nodig is heel vanzelfsprekend.

Wordt:

In een bedrijf dat zijn cultuur wil handhaven, vinden de werknemers alles wat daarvoor nodig is heel vanzelfsprekend. In de cultuur kan de nadruk liggen op een goede verstandhouding met de omgeving door een positief imago uit te dragen.

2   *Zet de persoonsvorm en het voltooid deelwoord zo veel mogelijk bij elkaar*

Die dag hebben we voor onze uitgebreide maaltijd met vooraf een garnalencocktail, met verse garnalen, daarna een heerlijke zelf getrokken bouillon, toen een fraaie, volgens oud-Italiaans recept bereide pastaschotel en ten slotte een perfecte chocolademousse veel complimenten gekregen.

Wordt:

Die dag hebben we veel complimenten gekregen voor onze uitgebreide maaltijd. Deze bestond uit een garnalencocktail, een zelf getrokken bouillon, een fraaie pastaschotel en ten slotte een perfecte chocolademousse.

3   *Zet het lidwoord en het zelfstandig naamwoord bij elkaar*

Afgaande op de door verschillende instanties gegeven adviezen ...

Wordt:

Afgaande op de adviezen die mij door verschillende instanties gegeven zijn ...

Omslachtige formuleringen

Teksten met veel omslachtige formuleringen worden wel 'ambtelijk' genoemd. Veel van deze formuleringen zijn eenvoudig te vermijden. Omzetten is vooral belangrijk bij negatief geformuleerde omslachtige formuleringen (met een dubbele ontkenning) en bij formuleringen met de zogenoemde 'naamwoordstijl'.

1 *Voorbeeld van een 'gewone' omslachtige formulering*

> De raad van bestuur was van mening dat geen invloed van de voorzitter diende te worden uitgeoefend bij het aanstellen van een nieuwe secretaris.
>
> *Wordt:*
>
> De raad van bestuur vond dat de voorzitter geen invloed mocht hebben bij het aanstellen van een nieuwe secretaris.

2 *Voorbeeld van een negatief geformuleerde omslachtige formulering*

> De centrale veroorzaakt geen schade waaraan niet tegemoetgekomen kan worden.
>
> *Wordt:*
>
> Aan alle schade die de centrale veroorzaakt, kan tegemoetgekomen worden.

3 *Voorbeeld van formuleringen met naamwoordstijl (je gebruikt een zelfstandig naamwoord terwijl je ook een werkwoord kan gebruiken)*

> De daling van de personeelskosten wordt veroorzaakt door uitbesteding.
>
> *Wordt:*
>
> De personeelskosten dalen doordat er veel taken uitbesteed worden.

Bij het inkorten van onnodig lange zinnen moet je erop bedacht zijn dat de betekenis van de nieuwe zin overeenkomt met die van de oorspronkelijke zin. Let er daarnaast op dat je tekst niet enkel uit korte zinnen is opgebouwd. Een tekst met alleen korte zinnen leest net zo lastig als een tekst met alleen moeilijke en lange zinnen. Afwisseling van zinslengte en het vermijden van onnodig ingewikkelde zinsconstructies is hier het devies.

7.2 Het herschrijven op levendigheid

Een tekst kan voor wat betreft woordkeus en zinsbouw (stijl) nog zo mooi geschreven zijn, als hij de lezer niet in enige mate aanspreekt, zal hij niet worden gelezen. En dan is alle moeite voor niks; de boodschap komt niet over en het doel wordt niet bereikt. Bestond het 'verbeteren' op 'moeilijkheid' uit het verklaren van termen en het opsplitsen van te lange zinnen, voor het aanbrengen van levendigheid in de tekst is het moeilijker adviezen geven. Het gaat er namelijk om de juiste snaar te raken; een zakelijke tekst mag niet té droog zijn, maar moet ook weer niet barsten van de gevatte en pakkende opmerkingen. Die zijn vaak meer geschikt voor reclameteksten.

Hoewel iedere schrijver hier voor een groot deel zijn eigen weg moet vinden (het liefst door zijn teksten veelvuldig door anderen van commentaar te laten voorzien om te onderzoeken welke stijl zijn lezers aanspreekt), kunnen we ook voor het verbeteren van de levendigheid van zakelijke teksten een aantal waardevolle tips geven. We concentreren ons daarbij op de mate van afstandelijkheid, de variatie in stijl, beeldspraak, voorbeelden en illustraties.

7.2.1   Formeel versus informeel taalgebruik

De mate van afstandelijkheid van formuleringen heeft invloed op de aantrekkelijkheid en levendigheid van een tekst. Zeer formele formuleringen met ouderwetse termen en omslachtige, plechtstatige constructies maken de aantrekkelijkheid van een tekst geringer.

Voorbeeld van formeel taalgebruik

> Het verbeteren van de bedrijfscultuur moet op een zodanige wijze geschieden, dat alle leden van de organisatie dezelfde doelen nastreven, hetgeen echter de problemen welke hiervoor uitvoerig aan de orde zijn gesteld niet in voldoende mate wegneemt.

Informeler

> De cultuur van het bedrijf moet zo worden verbeterd dat alle personeelsleden dezelfde doelen hebben. Maar dat neemt de problemen die we hiervoor hebben besproken niet voldoende weg.

In een zakelijke tekst als het literatuurverslag zijn formuleringen als de eerste vaak niet op hun plaats. Ze passen beter (wel met andere onderwerpen, dat spreekt) in trouwakten of andere officiële documenten. De tweede formulering is geschikter voor een literatuurverslag.

125

Ouderwetse woorden en zinnen

Zoals je in vorenstaand voorbeeld kunt zien, zit het verschil in afstandelijkheid vooral in het gebruik van bepaalde woorden en zinsconstructies. Ouderwetse woorden en zinnen zijn geschikt voor formelere teksten. Ze worden vooral in ambtelijke teksten gebruikt om deze wat meer 'cachet' te geven. Voor een literatuurverslag zijn dergelijke woorden en zinnen vaak minder geschikt en eenvoudig te vervangen door andere constructies.

Voorbeeld ouderwetse woorden en hun meer gangbare equivalent

aangezien	omdat
alwaar	waar
doch	maar
desalniettemin	toch
thans	nu
middels	met
indien	wanneer, als
welke	die

Aanspreking

Ook het al of niet direct verwijzen naar personen speelt een rol bij het aanbrengen van levendigheid. Net als het gebruik van 'wij' of 'ik' maakt ook het gebruik van aanspreekvormen als 'u', 'je' en 'jullie' een tekst minder formeel en afstandelijk. Ze verkleinen de afstand tussen de schrijver en de lezer. In zakelijke teksten is dit echter niet altijd wenselijk.

Ons advies: gebruik de 'ik'- en 'u'-vorm heel bewust. Een zakelijke tekst die doorspekt is met 'ik' en 'u' wekt irritatie en komt weinig professioneel over. Vooral wanneer de tekst een negatieve boodschap bevat, is het beter deze directe aanspreking te vermijden.

Voorbeeld misplaatste directe aanspreking

Ook u zult in een werksituatie moeite hebben een door u gemaakte fout toe te geven. U durft de verantwoordelijkheid niet op u te nemen, probeert deze wellicht zelfs af te schuiven, omdat u onzeker bent over de mogelijke gevolgen.

Gepast afstandelijker:

Veel werknemers hebben moeite door hen gemaakte fouten tijdens een werkoverleg toe te geven. Ze durven de verantwoordelijkheid niet op zich te nemen of willen deze afschuiven, omdat ze onzeker zijn over de mogelijke gevolgen.

De kunst is hierbij niet te vervallen in het andere uiterste: een formele tekst die onvoldoende leesbaar is.

Lijdende vorm

Als je het hiervoor gegeven advies strikt opvolgt, en je vermijdt het gebruik van persoonlijke voornaamwoorden ('ik', 'u', maar ook 'je' en 'we'), dan ontstaat al gauw een passieve vorm in plaats van een actieve vorm. De handelende personen verdwijnen immers naar de achtergrond.

Passieve constructies zijn constructies met lijdende vormen, dus met het hulpwerkwoord 'zijn' of 'worden', eventueel in combinatie met 'door'. Vooral zakelijke teksten als een literatuurverslag bevatten logischerwijs veel passieve constructies, omdat de nadruk nu eenmaal op het objectief beschrijven van bepaalde verschijnselen ligt. Handelende personen zijn daarin vaak ondergeschikt.

Ons advies: wissel de actieve en passieve vorm zo veel mogelijk af. Een tekst met uitsluitend passieve zinnen is vaak omslachtiger en minder prettig te lezen dan een tekst waarin passieve zinnen worden afgewisseld met actieve zinnen.

Voorbeelden van voor een zakelijke tekst geschikte actieve zinnen

> Als we de tabellen met elkaar vergelijken ...
> Zoals we in hoofdstuk 3 hebben beschreven ...
> In hoofdstuk 6 ga ik hier nader op in.

127

7.2.2   Variatie in stijl

Een manier om een tekst levendiger te maken is het aanbrengen van voldoende variatie in de formuleringen van die tekst. Net als voor veel andere dingen gaat de spreuk 'Verandering van spijs doet eten' ook op voor het schrijven van teksten, of deze nu zakelijk zijn of niet. We bespreken hierna afwisselingen in woordkeus en zinsbouw.

Variatie in woordkeus

In veel gevallen kan herhaling van dezelfde woorden een eentonig en saai effect geven. Net als met alle hier besproken middelen is het andere uiterste echter even desastreus. Teksten die voor iedere vakterm steeds een ander synoniem aandragen en die blijk geven van het o zo rijke vocabulaire van de schrijver, zijn onleesbaar en op zijn ergst irritant.

Voorbeeld van gebrek aan variatie in woordkeus

> De opbouw van het rapport is als volgt. Eerst wordt de keuze van een geschikte methode beschreven. Vervolgens wordt het principe van de gekozen methode beschreven. Daarna wordt de werking beschreven, waarbij de methode wordt toegepast op enige voorbeeldbestanden. De belangrijkste resultaten daarvan worden beschreven.
>
> *Herschrijving:*
>
> De opbouw van het rapport is als volgt. Eerst wordt de keuze van een geschikte methode beschreven. Vervolgens werk ik het principe van de geselecteerde methode uit. Daarna komt de werking aan de orde, waarbij de methode wordt toegepast op enige voorbeeldbestanden. Tot slot licht ik de belangrijkste resultaten toe.

Je ziet dat ook de herschreven variant nog niet schittert van levendigheid. Gelukkig zijn er naast de woordkeus ook middelen op zinsniveau inzetbaar om enige variatie aan te brengen.

Variatie in zinsbouw

In paragraaf 7.1 werd al gewaarschuwd voor een tekst die alleen uit lange of alleen uit korte zinnen bestaat. Het beste is het de zinslengte door de hele tekst heen af te wisselen. Toch is dit alleen niet voldoende voor een levendige tekst. Ook de bouw van de zin moet af en toe variëren. Dit kan door te spelen met de plaats van bijvoorbeeld het onderwerp en de persoonsvorm in een zin. Let er wel op dat er niet juist weer moeilijke zinnen, zoals tangconstructies, ontstaan.

Vergelijk de volgende zinnen.

Voorbeeld van gebrek aan variatie in zinsbouw

> De toenemende belangstelling voor menselijk falen is als volgt te verklaren. Installaties worden technisch gezien steeds betrouwbaarder. De mens wordt daardoor meer dan vroeger de zwakke schakel. De industriële installaties worden ook steeds omvangrijker. Menselijke fouten hebben daardoor steeds vaker ernstige consequenties. De automatisering zet zich bovendien nog steeds voort. De operator moest daarom processen controleren op steeds abstractere niveaus. Het menselijk gedrag wordt daardoor minder voorspelbaar.

> *Herschrijving:*
>
> De toenemende belangstelling voor menselijk falen is als volgt te verklaren. Technisch gezien worden installaties steeds betrouwbaarder, waardoor de mens meer dan vroeger de zwakke schakel wordt. Bovendien hebben door de grotere omvang van industriële installaties menselijke fouten steeds vaker ernstige consequenties. Als gevolg daarvan moet de operator processen op steeds abstractere niveaus controleren, waardoor het menselijk gedrag minder voorspelbaar wordt.

Dit voorbeeld toont dat variatie in zinsbouw belangrijk is. Het origineel laat een eentonige volgorde in de zinsdelen zien: onderwerp-werkwoord-rest. In de herschrijving staan ook andere elementen op de eerste plaats in de zin, waardoor er tussen de zinnen in de herschreven tekst veel meer verband is aangebracht. De rode draad blijft voor de lezer goed te volgen. Hij wordt als het ware door de tekst 'geleid'.

7.2.3 Beeldspraak

Net als politici en voetbalverslaggevers doen, kan ook een schrijver *beeldspraak* inzetten als middel ter verlevendiging van de tekst. Pas hier echter wel op voor 'een koekje van eigen deeg', want een met beeldspraak 'op de rails gezette trein kan gemakkelijk ontsporen'. (Zoals blijkt uit de vorige zin.) Bij het gebruik van beeldspraak en andere vergelijkingen geldt een aantal richtlijnen:

1 De vergelijking moet *toepasselijk* zijn; datgene wat je vergelijkt, moet vergelijkbaar zijn met de situatie die je in je literatuurverslag beschrijft.
2 De vergelijking moet *origineel* zijn; vaak gebruikte, clichématige vergelijkingen maken je tekst niet levendiger.
3 De vergelijking moet *zuinig* worden ingezet; een opeenstapeling van beeldspraak leidt de aandacht van het eigenlijke onderwerp af.
4 De u

moet *consequent* zijn; wanneer je begint met een vergelijking met een spoorlijn, eindig je niet met een vergelijking met een autobaan.

Houd je je niet aan deze richtlijnen, dan is de kans groot dat je vergelijkingen leiden tot uitspraken die onlogisch, fysisch onmogelijk of simpelweg onsmakelijk zijn.

Voorbeeld van niet geslaagde beeldspraak

> Aan de nieuwe weg die wij met onze marketingfilosofie zijn ingeslagen, kleeft een aantal haken en ogen.

129

Voorbeeld van wel geslaagde beeldspraak

> Managers die zich steeds verdiepen in de trendgevoelige thema's die in managementland opgeld doen, hebben dezelfde ervaring als luiaards wanneer ze een boek over fitness lezen. Ze zien steeds beter wat ze nalaten te doen.

7.2.4   Voorbeelden en citaten

Een vierde middel dat ingezet kan worden ter vergroting van de levendigheid van de tekst zijn voorbeelden. Voor een goed begrip van een tekst gaan lezers op zoek naar herkenningspunten. Voorbeelden zijn ideaal om een al dan niet gefingeerde situatieschets te geven waarbinnen het verhaal dat je vertelt geïnterpreteerd kan worden. Vooral in teksten met een moeilijk toegankelijk onderwerp helpen voorbeelden de levendigheid, en daardoor de begrijpelijkheid te bevorderen. Net als voor vergelijkingen (zie paragraaf 7.2.3) geldt echter ook voor voorbeelden dat deze origineel en passend moeten zijn, en slechts met mate gebruikt mogen worden.

Citaten kunnen een bepaalde verlevendiging in de tekst aanbrengen, maar ze dienen ook wel als ondersteuning van de argumentatie. Wanneer je een betoog houdt en je kunt aantonen dat Einstein in een citaat ooit hetzelfde beweerde, sta je vanzelfsprekend sterker dan wanneer je alleen op je eigen visie moet bogen. Voorwaarde is hier niet alleen originaliteit, maar ook correctheid.

7.2.5   Illustraties

Een laatste middel dat we hier geven voor de levendigheid van de tekst, is de illustratie. Illustraties kunnen drie functies hebben: een verduidelijkende, een aandachttrekkende en een esthetische functie. Dat wil zeggen dat ze kunnen helpen de tekst helderder, maar ook aantrekkelijker en afwisselender te maken.

Naast de grafische mogelijkheden waarover je (met je computer) beschikt, is het teksttype bepalend voor het inzetten van illustraties. In zakelijke teksten als een literatuurverslag is het niet erg gebruikelijk om allerlei plaatjes puur voor de aantrekkelijkheid op te nemen. Wel kun je cijfermateriaal in tabellen of grafieken presenteren.

Omdat er situaties zijn waarin het nodig is ook andere illustraties op te nemen, bespreken we hier achtereenvolgens afbeeldingen, schema's en tabellen.

In paragraaf 8.2 gaan we in op de praktische zaken rond het opnemen van illustraties; hier geven we algemene regels voor het combineren van tekst en illustraties (zie Steehouder e.a., 2006):

– Bedenk of de illustratie een aanvulling of een vervanging is van een deel van de tekst (het eerste komt vaker voor).
– Verwijs in de tekst naar de illustratie, en wel vóórdat de informatie waarop deze betrekking heeft aan de orde komt.
– Licht een illustratie ook toe in de tekst.
– Zorg dat de illustratie zichtbaar is vanaf de plaats waar er naar verwezen wordt.
– Geef bij cijfermatig materiaal en grafieken alleen de hoofdzaken weer in de tekst.
– Nummer de illustraties. Gebruik een aparte nummering voor de tabellen en voor de andere figuren (grafieken, afbeeldingen en dergelijke) en noteer het nummer onder de illustratie.
– Voorzie de illustraties van bondige, exacte onderschriften die voor zichzelf spreken (en die dus zonder de verdere tekst te begrijpen zijn).
– Zet de illustraties steeds dezelfde kant op; het liefst rechtop en – wanneer dit niet kan – met de bovenkant naar de 'rug' van de tekst (zodat je lezer het rapport niet steeds een kwartslag hoeft te draaien).

Afbeeldingen

Een afbeelding kan het meest directe antwoord zijn op een vraag die een lezer zich stelt. Wanneer je een bedrijfsproces of een organisatiestructuur bespreekt, kan het zijn dat één plaatje meer doet dan duizend woorden. Hetzelfde geldt voor werktekeningen, kaarten en plattegronden.

Enkele tips voor het opnemen van afbeeldingen:

– Laat de afbeelding goed aansluiten op de tekst: zet haar op de juiste plaats en zorg dat ze niet meer weergeeft dan nodig is voor een goed begrip van de tekst.
– Zorg dat de lezer direct kan zien wat de afbeelding voorstelt.
– Zet de afbeelding in een dun kader.
– Probeer niet alles in één afbeelding te stoppen: meerdere afbeeldingen zijn samen vaak duidelijker dan één enkele.
– Gebruik voor meer afbeeldingen van hetzelfde object dezelfde maat en hetzelfde perspectief.
– Is het nodig om onderdelen van het afgebeelde object te benoemen, zet de namen dan met pijlen naast het object (binnen het kader van de afbeelding).
– Houd rekening met de leeswijze van de lezer: van links naar rechts en van boven naar beneden.

Schema's

Schema's kunnen de structuur van een tekst verhelderen. Dat ze de aantrekkelijkheid van de tekst verhogen, is een neveneffect. Schema's bestaan uit blokken (fasen van een proces of onderdelen van een geheel; vaak met tekst), lijnen en pijlen (die de verbanden of stromen aangeven).

Enkele tips voor het opnemen van schema's:

- Maak schema's niet te complex en geef er niet te veel informatie in weer. Splits ze liever op.
- Houd de tekst in schema's zo beknopt mogelijk.
- Volg weer de logische lijn: van links naar rechts en van boven naar beneden.
- Schakel zo mogelijk de computer in en gebruik de mogelijkheden om te markeren (doe dit consequent en zorg dat het schema niet te druk wordt).
- Hanteer de geldende conventies.
- Overweeg, wanneer een schema veel uitleg vergt, of het schema de tekst niet ingewikkelder maakt.

Tabellen

Wanneer je in de tekst zelf (en niet in de bijlagen) cijfers moet presenteren voor een goed begrip van de inhoud van je tekst, ontkom je niet aan het gebruik van tabellen. Alleen wanneer het cijfermateriaal erg omvangrijk is, kun je dit beter in een aparte bijlage opnemen. Geef tabellen in elk geval een opschrift en een nummer, en neem een duidelijke verwijzing op. Je kunt ook kiezen voor een combinatie; geef de belangrijkste cijfers in een tabel of grafiek in de tekst weer, en verwijs voor de details naar de bijlagen.

Enkele tips voor het opnemen van tabellen:

- Geef elke rij en kolom een titel of kop.
- Zorg voor een goede ordening van rijen en kolommen (alfabetisch of van groot naar klein).
- Plaats bij veel rijen na elke vijf rijen een regel wit.
- Trek geen lijnen tussen de rijen.
- Trek alleen lijnen tussen kolommen als er een verdeling in groepen kolommen gemaakt kan worden.
- Noteer eventuele eenheden (%, kg, €) in de kop van een rij of kolom.
- Zet de rijen en kolommen in een logische volgorde.

7.3 Het herschrijven op beknoptheid

Wanneer een lezer leest wat hij al weet, of wanneer de functie van de gelezen informatie onduidelijk is, ervaart hij de tekst al gauw als omslachtig. Om het lezers gemakkelijk te maken díé informatie te selecteren die ze nodig hebben, heb je de tekst een heldere structuur gegeven en onnodige details zo veel mogelijk in bijlagen ondergebracht. Toch kan het dan nog gebeuren dat de tekst te wijdlopig is doordat je (te) veel details, (te) veel voorbeelden, uitweidingen en zijsporen vermeldt. We behandelen hierna achtereenvolgens redundantie, omhaal van woorden en verbanden.

7.3.1   Redundante informatie

Als een schrijver woorden of begrippen nog eens in andere woorden herhaalt, spreken we van een *parafrasering*. In bepaalde gevallen kan het geven van een parafrasering duidelijkheid scheppen, maar in veel gevallen kunnen parafraseringen achterwege blijven. Namelijk in die gevallen waarin de schrijver de voorkennis van de lezer onderschat. We spreken in die gevallen van het geven van *redundante informatie*. Dit is informatie die weggelaten kan worden zonder dat er gaten in de gemaakte redenering vallen. Het betreft vaak een *herhaling* van al gegeven informatie of een uitleg die niet nodig is. Redundante informatie kan een tekst vervelend maken, maar kan ook weer niet volledig worden gemist. Enige herhaling is altijd nodig; een lezer onthoudt nu eenmaal niet alles ineens.

Voorbeeld redundantie

133

> Organisatiecultuur wordt opgevat als de gemeenschappelijke verstandhouding van de leden van een bedrijf met betrekking tot hoe het in hun onderneming dagelijks toegaat. Het betreft hier het geheel van geschreven en ongeschreven regels dat het sociale verkeer tussen de medewerkers van de onderneming onderling, alsook het verkeer met derden, kanaliseert en vormgeeft. Deze doeltreffende omschrijving bevat twee kernwoorden, namelijk: 'gemeenschappelijk' en 'verstandhouding'. Het eerste woord, 'gemeenschappelijk', geeft aan dat het pas om een cultuur gaat als een (belangrijke) groep mensen eenzelfde mening deelt, of hetzelfde handelt. Zodra we het hebben over de meningen en opvattingen van slechts één persoon, hebben we het niet meer over cultuur. Het tweede kernwoord 'verstandhouding' is kenmerkend voor cultuur omdat het gaat om wat er bij de mensen in het hoofd zit. Cultuur is dus niet iets tastbaars, maar wel iets dat afgeleid kan worden uit gebeurtenissen en de gedragingen van mensen.

> *Beknopter:*
> Organisatiecultuur wordt opgevat als de gemeenschappelijke verstand-
> houding van de leden van een bedrijf met betrekking tot hoe het in
> hun onderneming dagelijks toegaat. Het woord 'gemeenschappelijk'
> geeft aan dat een belangrijke groep mensen eenzelfde mening moet
> delen of hetzelfde moet handelen om van cultuur te kunnen spreken.
> Het begrip 'verstandhouding' benadrukt dat cultuur in de hoofden van
> mensen een plaats inneemt.

7.3.2   Omhaal van woorden

Soms gebruik je als schrijver veel meer woorden dan strikt nodig is. Wat met
één enkel woord of met een korte uitdrukking gezegd kan worden, wordt met
veel omhaal van woorden omschreven, zonder dat dit iets bijdraagt aan de
betekenis. Dergelijke onnodige omschrijvingen maken het lezen vermoeiend
en verminderen bovendien de overzichtelijkheid. Hierna behandelen we een
aantal voorbeelden.

Zinnen met een te lange aanloop

Het gaat om zinnen met zogenoemde *kopconstructies*, zoals: 'het is niet zo dat',
'het is waarschijnlijk zo dat', 'het moet onwaarschijnlijk geacht worden dat' en
'gesteld kan worden dat'.

Voorbeeld lange aanloop

> Het is zo dat voor dit aspect geldt dat we het in onze besluitvorming
> zeker mee moeten laten wegen.
>
> *Beknopter:*
>
> We moeten dit aspect zeker in onze besluitvorming mee laten wegen.

Voorzetselconstructies

Hier bedoelen we constructies als: 'met betrekking tot', 'ten aanzien van', 'met
het oog op', 'in het kader van', 'rekening houdend met' en 'het feit dat'.

Voorbeeld voorzetselconstructie

> Literatuur met betrekking tot dit onderwerp.
>
> *Beknopter:*
>
> Literatuur over dit onderwerp.

Overige onnodige omschrijvingen

Er zijn nog vele andere, niet te benoemen onnodige omschrijvingen, die ook wel in combinatie met de naamwoordstijl (zelfstandige naamwoorden die van een werkwoord zijn afgeleid) gebruikt worden.

Voorbeeld onnodige omschrijving

In verband met de wenselijkheid wat meer ruimte te scheppen op het punt van de mogelijkheid aan bepaalde levende verlangens tegemoet te komen wordt rekening gehouden met een stijging van de kosten.

Beknopter:

Vanwege de wens meer ruimte te scheppen voor verlangens, wordt rekening gehouden met de kostenstijging.

Voorbeeld met naamwoordstijl

Door het toenemende gebruik van de computer is het analytisch en oorzakelijk handelen van de mens bijna verloren gegaan.

Beknopter:

De computer wordt steeds vaker gebruikt en daardoor verliest de mens zijn analytisch en oorzakelijk handelen.

Stoplappen en kwalificaties

Een aparte soort wijdlopigheid is het tussenvoegen van onnodige nuanceringen, beklemtoningen en andere kwalificaties. Deze kwalificaties, die geen direct oordeel in zich hebben, dienen vaak alleen om het papier vol te maken. We noemen ze daarom *stoplappen*.

Voorbeelden stoplappen

best wel, echt wel, gewoon, in wezen, eigenlijk, uiteraard, natuurlijk, in principe

Kwalificaties die wel een oordeel geven, noemen we hier kortweg *kwalificatie*.

Voorbeelden kwalificaties

mogelijk, misschien, uitzonderlijk, enigermate, waarschijnlijk, zeer, fantastisch, niet te onderschatten, mooi, ongewenst

7.3.3   Verbanden

Verbanden die voor zichzelf spreken, hoeven niet geëxpliciteerd te worden. Bij het herschrijven op beknoptheid is het zaak je tekst op onnodig geëxpliciteerde verbanden na te lezen. Het moet uiteindelijk zo zijn dat een lezer niet voortdurend op zijn tenen hoeft te lopen om de door jou gelegde verbanden te begrijpen, maar het moet ook niet zo zijn dat alle verbanden tot in den treure worden toegelicht.

Voorbeeld

> *Impliciet verband:*
> Om de firma te laten voortbestaan, zullen de prijzen van de producten drastisch omlaag moeten.
>
> *Expliciet verband:*
> Om de firma te laten voortbestaan, zullen de prijzen van de producten drastisch omlaag moeten. Alleen zo kunnen we een hogere omzet halen. Een hogere omzet is in de markt waarin wij opereren een absolute voorwaarde voor hogere winstcijfers.

7.4   Het herschrijven op correctheid

Veel van de in dit hoofdstuk beschreven verbeteringen hebben betrekking op het vergroten van de begrijpelijkheid van de tekst, een voor een tekst cruciale zaak. In deze paragraaf bespreken we de correctheid van de tekst, iets wat geen directe invloed hoeft te hebben op de begrijpelijkheid ervan. Bevat een tekst fouten, dan heeft dit echter ontegenzeggelijk invloed op het beeld dat de lezer van de tekst én van de schrijver krijgt. Wanneer een lezer de indruk krijgt dat een schrijver niet kan spellen, beoordeelt hij deze al gauw als ondeskundig, ook voor wat betreft de inhoud van de tekst. En naast begrijpelijkheid is ook geloofwaardigheid een bepalende factor bij het bereiken van je doel bij de lezer. Voordat we ingaan op de verschillende aspecten van correct schrijven, geven we eerst vier algemene adviezen.

Algemene aanwijzingen voor correct schrijven:
1   Fris, als het nodig is, je spellingkennis op (bijvoorbeeld via de website van de Nederlandse Taalunie).
2   Gebruik de voorkeurspelling. Houd hiervoor altijd bij de hand:

- een goed woordenboek, uitgaven van ná 2005: *Het Groot Woordenboek der Nederlandse Taal* (*De 'Dikke' Van Dale*) of *De woordenlijst der Nederlandse Taal* (*'Het Groene Boekje'* of *woordenlijst.org*);
- een boek met adviezen voor taal*gebruik*, zoals de laatste editie van *De Schrijfwijzer* van Jan Renkema of de *Algemene Nederlandse Spraakkunst* van Haeseryn uit 1997.

3 Gebruik – wanneer je op de pc werkt – de spelling- en grammaticacontrole.

4 Laat je tekst door een getalenteerde huisgenoot, vriend of collega lezen, met het verzoek om commentaar met betrekking tot eventuele fouten.

7.4.1 Werkwoordsvervoegingen

De spelling van het Nederlandse werkwoord is niet zo ingewikkeld als men dikwijls denkt. Hier volgen de voornaamste regels en struikelblokken.

Tegenwoordige tijd

Werkwoorden kunnen alleen een -dt krijgen als het hele werkwoord op -den eindigt: vinden, leiden, worden.

ik loop	ik vind
jij, u loopt	jij, u vindt
loopt u?	vindt u?
loop jij? (!)	vind jij? (!)
hij, zij, het loopt	hij, zij, het vindt
wij, jullie, zij lopen	wij, jullie, zij vinden

Verleden tijd

Als de stam (werkwoord zonder -en) eindigt op t, k, f, s, ch of p ('t kofschip), dan heeft de verleden tijd -te(n):[10]

ik, jij, hij rookte	wij, jullie, zij rookten
ik bezette	wij bezetten
ik strafte	wij straften

---

10 Kijk bij het vaststellen van de laatste letter van de stam naar het 'hele' werkwoord en niet naar de letter die voor -de of -te staat:
– beloven   ik beloofde
– verhuizen ik verhuisde

Eindigt de stam *niet* op een van deze letters, dan heeft de verleden tijd -de(n):

ik, jij, hij vervuilde	wij, jullie, zij vervuilden
ik leidde	wij leidden
ik schrobde	wij schrobden

Voltooid deelwoord

Het voltooide deelwoord van een werkwoord dat in de verleden tijd op -te(n) eindigt, krijgt een -t:

werkte	gewerkt
paste toe	toegepast
strafte	gestraft

Een werkwoord met in de verleden tijd -de(n) eindigt als voltooid deelwoord op een -d:

berekende	berekend
loosde (lozen)	geloosd
geloofde (geloven)	geloofd

Soms klinkt de persoonsvorm hetzelfde als het voltooid deelwoord, maar is de spelling anders:

het leeft	het heeft geleefd

Voltooid deelwoord als bijvoeglijk naamwoord

Wanneer het voltooid deelwoord als bijvoeglijk naamwoord wordt gebruikt, wordt het verbogen als een bijvoeglijk naamwoord: met -e.

de beantwoorde vraag	hij beantwoordde de vraag
de verbrede weg	de weg is verbreed

Alleen als de uitspraak dat nodig maakt, schrijf je hier -tte of -dde:

de gewitte zaal	de zaal is gewit
het geredde plan	het plan is gered

Zelfstandige naamwoorden op -te

Let ook op de spelling van zelfstandige naamwoorden die eindigen op -te:

een hoge rekening	de hoogte
een grote televisie	de grootte
een brede interesse	de breedte

Engelse werkwoorden

De vervoeging van Engelse werkwoorden als 'plannen', 'timen' en 'crashen' is soms ingewikkeld. We raden het gebruik van deze vormen af. Wil je ze toch gebruiken, zoek ze dan op:

hij plant	hij plande	hij heeft gepland
hij timet	hij timede	hij heeft getimed
hij crasht	hij crashte	hij is gecrasht

7.4.2   Verwijzingen en verbindingen

Belangrijk voor een begrijpelijke tekst is dat deze *duidelijke verwijzingen* bevat. Iedere tekst bevat verwijzingen naar zaken of personen die eerder genoemd zijn. Ze zorgen voor samenhang in de tekst. Hiervoor worden woorden gebruikt als: 'deze', 'die', 'dit', 'dat', 'hierdoor', 'toen', 'hij', 'zij', 'het', 'zijn', 'haar' enzovoort. Wanneer het niet duidelijk is waarop deze verwijswoorden terugslaan, ontstaan er vaak interpretatieproblemen.

Voorbeeld

> De nadruk in het onderzoek zal liggen op de fasen diagnose en ontwerp en in mindere mate op de overige fasen. Dit zal in het onderzoeksverslag duidelijk aangegeven worden.

Omdat deze zin uit verschillende beweringen bestaat, kan het verwijswoord 'dit' betrekking hebben op:
- de nadruk in het onderzoek op de fasen diagnose en ontwerp;
- een mindere nadruk op de overige fasen;
- beide mogelijkheden samen.

Je loopt dergelijke risico's ook met *ongespecificeerde verwijzingen* als:
- daarbij valt te denken aan ...
- gezien deze situatie ...
- tegen deze achtergrond ...
- een en ander leidt ertoe dat ...
- in verband met de genoemde ontwikkelingen ...

7.4.3 Samenstellingen

Een samenstelling is een combinatie van twee of meer woorden die samen een nieuw woord vormen. Samenstellingen worden aan elkaar geschreven:

> fiets + lamp → fietslamp
> jaar + overzicht → jaaroverzicht

In de volgende gevallen wordt echter een koppelteken gebruikt:

– Als de samenstelling *slecht te lezen* is:

> Niet: informatieuitwisseling
> Maar: informatie-uitwisseling

– Als de samenstelling *afkortingen, letters, cijfers en andere tekens* bevat:

> TNT-tarief
> btw-heffing

– Als de samenstelling een *eigennaam* bevat (tenzij deze niet meer als zodanig wordt herkend):

> commissie-Boertien
> Guyot-prijs

– Als dit voor de samenstelling is vastgesteld:

> adjunct-directeur
> ex-onderzoeker

7.4.4 Samentrekkingen en beknopte bijzinnen

Ook op zinsniveau worden veel fouten gemaakt. Sommige fouten kunnen belangrijke gevolgen hebben voor de betekenis van een zin. We bespreken hierna de meest voorkomende vergissingen: de foutieve samentrekking en de foutief gebruikte beknopte bijzin.

Samentrekkingen

Door gebruik van de zogenoemde *samentrekking* kunnen schrijvers hinderlijke herhalingen van woorden of zinsdelen vermijden. Woorden of woordgroepen die twee keer optreden in een zin, kunnen vaak één keer worden weggelaten.

Voorbeeld zonder samentrekking

| Mijn moeder past tegelijkertijd een jurk en op de kinderen.

Voorbeeld met samentrekking

| Mijn moeder past tegelijkertijd een jurk en op de kinderen.

Zoals uit dit voorbeeld blijkt, zijn er echter wel voorwaarden voor zulke samentrekkingen:
- De woorden of woordgroepen moeten *identiek* zijn.
- De woorden of woordgroepen moeten *dezelfde grammaticale functie* hebben (ze moeten elk in hun eigen zin hetzelfde zinsdeel zijn).
- De woorden of woordgroepen moeten *dezelfde betekenis* hebben.

Je kunt controleren of een samentrekking geoorloofd is door het weggelaten zinsdeel terug te zetten en te controleren op zijn functie in de zin. Bij ongelijkwaardigheid tussen het weggelaten en het resterende zinsdeel spreken we van een 'foutieve samentrekking'.

Voorbeeld foutieve samentrekking

| Vijf specialisten wordt leiding gegeven door een verantwoordelijke manager en blijven gedurende het hele traject verbonden aan het team.

In de eerste zin is 'vijf specialisten' meewerkend voorwerp, in de tweede zin is het weggelaten 'vijf specialisten' onderwerp. Twee verschillende grammaticale functies, dus de samentrekking is niet correct.

Beknopte bijzinnen

De zin 'Langzaam kauwend werd de spinazie naar binnen gewerkt' heeft een vreemde betekenis: niet de 'eter' maar de *spinazie* kauwt. De *beknopte bijzin* 'langzaam kauwend' zorgt hier voor verwarring. In het Nederlands kan alleen dan een beknopte bijzin worden gebruikt als het verzwegen onderwerp van die bijzin ook het onderwerp van de hoofdzin is. Is dat niet het geval, dan spreken we van een 'incorrecte beknopte bijzin'.

Voorbeeld correcte beknopte bijzin

> Na twee ijsjes gegeten te hebben, kocht hij een grote zak patat.

Voorbeeld incorrecte beknopte bijzin

> Bij die kruising aangekomen, kan de auto worden geparkeerd. (Wat letterlijk betekent dat de auto kan worden geparkeerd als hij (zelf) naar de kruising gereden is.)

7.4.5   Leestekens

Leestekens worden gebruikt om een tekst begrijpelijker te maken. We geven hier kort enkele adviezen (Elling & Andeweg, 1990).

De punt

Zet *wel* een punt:
- aan het einde van de zin;
- na afkortingen: jl., dr., t.a.v., enz.

Zet *geen* punt:
- bij letterwoorden, bij veel ingeburgerde begrippen en namen van bedrijven: aids, pvc, KPN;
- achter munteenheden, maten, gewichten, wiskundige, natuurkundige en scheikundige symbolen: DM, km, y, kWh, kg;
- achter de titel van een literatuurverslag, boek, rapport, hoofdstuk of paragraaf.

De komma

Komma's worden vooral gezet op plaatsen in de zin waar bij hardop lezen een pauze valt, maar ze kunnen ook de betekenis van de zin bepalen.

> *Vergelijk:* Voorzitters die waken voor hun reputatie, bereiden een vergadering voor.

> *Met:* Voorzitters, die waken voor hun reputatie, bereiden een vergadering voor.

Zonder komma na 'voorzitters' betekent de zin dat alleen voorzitters die om hun reputatie denken een vergadering voorbereiden. Dit heet dan een *beperkende bijzin*. De tweede zin noemt men een *uitbreidende bijzin*.

Zet *wel* een komma:
- tussen twee persoonsvormen:

| Omdat de linkse fracties het oneens zijn, wordt een motie van opposi-
| tie niet opportuun geacht.

- in een opsomming:

| Dit middel is gemakkelijk hanteerbaar, onschadelijk en goedkoop.

Zet *geen* komma:
- voor 'dat' in een korte, eenvoudige zin:

| Ik denk dat de fusie eind mei wordt afgerond.

De puntkomma

De puntkomma [;] scheidt (middels de punt) én verbindt (middels de komma) twee zinnen die nauw met elkaar samenhangen.

Voorbeeld

| Door te veel aandacht te schenken aan zakelijke en financiële aspecten
| van de fusie komen de belangen van de individuele mensen in het
| gedrang; ze komen soms zelfs helemaal niet aan de orde.

Daarnaast wordt de puntkomma gebruikt om bij een opsomming (langere) delen te scheiden.

De dubbele punt

De dubbele punt [:] wordt gebruikt:
- voor een opsomming:

| We onderscheiden drie niveaus: beleid, bestuur en beheer.

- voor een citaat:

| Je hoorde mensen mompelen: 'Het is een wonder...'

143

– voor een verklaring, omschrijving of toelichting:

> Het hotel was die dag gesloten: de eigenaars, de heer en mevrouw Bakker, vierden hun zilveren bruiloft.

7.4.6 Grammaticale valkuilen

In deze paragraaf geven we een bescheiden overzicht van veelvoorkomende grammaticale problemen.

Dat/wat

> Hij verbrandt het literatuurverslag dat zij stijlloos vindt.
> Hij verbrandt het literatuurverslag, wat zij stijlloos vindt.

Deze twee zinnen zijn bijna identiek, maar ze hebben een verschillende betekenis. In de eerste zin vindt zij het literatuurverslag stijlloos, maar in de tweede zin vindt zij juist het verbranden van het literatuurverslag stijlloos.

Dat verwijst naar iets bepaalds ('het literatuurverslag'). *Wat* verwijst naar:
– de hele voorafgaande zin ('Hij verbrandt het literatuurverslag');
– onbepaalde woorden ('iets', 'niets', 'alles' en dergelijke);
– woorden met een overtreffende trap ('het netste', 'het dikste' en dergelijke).

Hen/hun

Het verschil tussen 'hen' en 'hun' komt in de spreektaal nauwelijks voor. In de schrijftaal speelt het nog wel een rol. Daarin worden de volgende regels gehanteerd:

– Schrijf *hen* als het een lijdend voorwerp is:

> Ik stuur hen het bos in.

– Schrijf *hen* na een voorzetsel:

> Ik stuur aan hen nooit meer een vertrouwelijke boodschap per sms.

– Schrijf *hun* als het een meewerkend voorwerp is zonder voorzetsel:

> Ik stuur hun de boodschap per post.

144

Een bruikbaar alternatief voor hen/hun is *ze*:

| Ik geef ze wel een cadeautje.

Een aantal heeft/hebben
Het gebruik 'heeft' of 'hebben' bij 'aantal' hangt af van de betekenis van de zin.

Voorbeeld

| Een aantal psychologen heeft een spraakmakend onderzoek verricht
(= een groep).
Een aantal psychologen hebben zich dit jaar extra ingezet
(= individuele personen, ieder voor zich).

Als de onderwerpskern een enkelvoud ('een aantal' = een groep) is, dan staat de persoonsvorm ook in het enkelvoud ('heeft'). Is de onderwerpskern een meervoud ('psychologen' = individuele personen), dan staat de persoonsvorm ook in het meervoud ('hebben').

Een handig ezelsbruggetje is uit te gaan van de volgende regel: als bekend is om hoeveel mensen, zaken, dingen het gaat (het precieze aantal is te achterhalen), is het *heeft*. Is dit onbekend, gebruik dan *hebben*. Vergelijk: 'een (bekend) aantal mensen *heeft* een klacht ingediend' en 'een (onbekend) aantal mensen *hebben* een klacht ingediend'.

145

Van formuleren tot presenteren

De activiteiten die tijdens deze stap moeten worden uitgevoerd, zijn:

8.1 het verzorgen van de lay-out;

8.2 het opnemen van schema's, tabellen en illustraties.

Een goede (dat wil zeggen consequente) typografie is de blikvanger van je literatuurverslag. Het is daarom zaak dat je vooraf op de hoogte bent van eventuele richtlijnen (de zogenoemde 'huisstijl') die er binnen de opleiding of organisatie voor de lay-out van een tekst gelden. Werk je in een team, dan is het bovendien van belang dat er vóór het schrijven afspraken worden gemaakt over de opmaak. De aanwijzingen die we hier geven voor de typografie (waaronder ook de indeling van het papier), gelden voor referaten die op de tekstverwerker tot stand zijn gekomen, en geschikt moeten zijn om te kopiëren.

8.1 Het verzorgen van de lay-out

Voor het ontwerpen van een goede, overzichtelijke en aantrekkelijke bladspiegel is meer nodig dan een goed werkende computer. Het is verstandig voor het uitprinten van de tekst bij een aantal aspecten stil te staan. Dit voorkomt een eindeloos proberen en verbeteren. We beschrijven hier een minimaal aantal stappen: van stramien tot markeringen.

8.1.1   Het stramien

Het 'stramien' is de opmaak die op iedere bladzijde van het literatuurverslag zal terugkeren. Het maken van zo'n stramien begint bij het bepalen van de paginagrootte. Vaak zal de pagina een A4-formaat hebben, maar het kan zijn dat – bijvoorbeeld vanwege het formaat van op te nemen tekeningen – een groter formaat gewenst is. De paginagrootte heeft consequenties voor regellengte, de lettergrootte, de op te nemen figuren en illustraties (en soms dus andersom), maar ook voor het kopiëren.

Vervolgens moet worden overwogen of het wenselijk is op iedere pagina een vaste kop- of voetregel te laten verschijnen. In de kopregel kan bijvoorbeeld de titel van het hoofdstuk staan. Deze wisselt dus. In de voetregel kan dan de titel van het literatuurverslag en/of de organisatie waarvoor het verslag geschreven is, worden vermeld. Deze is dan op iedere pagina hetzelfde. Een nadeel is dat deze regels de bladspiegel en daarmee de tekstruimte verkleinen, en ze bij kleinere referaten wat 'overdreven' overkomen. Het is het mooiste om met het opnemen van kop- en voetteksten rekening te houden met de rechter- en linkerbladspiegel, zodat de bladzijden netjes 'gespiegeld' zijn.

8.1.2   De bladindeling

De keuze voor het al dan niet gebruiken van een vaste kop- en voettekst heeft invloed op de witmarges van de bladzijde. Deze worden nu eenmaal primair bepaald door functionele overwegingen. Voor de boven- en ondermarge wordt doorgaans standaard 2,5 centimeter aangehouden, maar bij het opnemen van kop- en voetteksten worden deze marges vanzelfsprekend groter. Voor de linker- en rechtermarge geldt standaard ook 2,5 centimeter, maar wanneer de tekst in een ringband wordt samengebonden, is het raadzaam een iets bredere marge te nemen. Wanneer je het literatuurverslag met een lijmband of in een plastic kaft inbindt, kun je beter 3 centimeter aanhouden. Natuurlijk bepalen naast functionele overwegingen ook overwegingen van esthetiek de bladspiegel.

8.1.3   De typografie

Voor de typografie is zowel de regellengte als de lettergrootte van belang. Beide houden verband met elkaar. Hoe groter de letter, des te minder tekst er op een regel kan. Optimale regellengten blijken 50-70 karakters (letters, spaties, leestekens en dergelijke) lang. De lettergrootte wordt in 'punten' aangegeven (waarbij één punt ongeveer 0,04 centimeter is). Bruikbare lettergrootten voor de basistekst blijken 8-12 punten groot. De keuze voor het lettertype hangt af van je persoonlijke smaak, maar het ene lettertype leest makkelijker dan het andere.

Gebruik niet meer dan één of twee lettertypes (met daarvan dan de cursieve en vette variant). Je kunt kiezen voor een schreefletter of voor een schreefloze letter. De eerste, zo blijkt uit onderzoek, is gemakkelijker te herkennen. Deze schreefletter wordt dan ook het meest gebruikt (de Times bijvoorbeeld).

8.1.4   Markeringen

De opmaak van tekstelementen is al in paragraaf 6.3 aan de orde geweest. Je kunt deze opmaak ook van tevoren in een zogenoemd 'stijlvoorschrift' vastleggen. Dit is vooral handig als je werkt in een team.

Belangrijke aspecten bij de opmaak van de tekst zijn:

- De kantlijnen: hanteer consequente kantlijnen en beperk je tot maximaal drie of vier tabs; zo ziet de lezer in één oogopslag welke informatie bij elkaar hoort.
- Markering: inhoudelijk belangrijke woorden kun je vet of cursief zetten. Het gebruik van onderstrepingen en hoofdletters raden we af; het legt vaak meer nadruk dan bedoeld en maakt de bladspiegel al gauw te druk. Wees consequent in het gebruik van vet- en cursiefmarkeringen en probeer een overmatig gebruik te vermijden.
- De witruimte: hiermee kun je tekstelementen benadrukken en de levendigheid vergroten (een tekst met te weinig witruimte wordt vaak ervaren als 'massief').
- Opsommingen: gebruik consequent dezelfde soort letter of hetzelfde aantal cijfers. Let erop dat achter een hoofdstuk- en paragraafnummer géén punt komt, en dat na ieder leesteken (.,: ; –?!) een spatie komt.

8.2 Het opnemen van schema's, tabellen en illustraties

In hoofdstuk 7 gaven we al enige richtlijnen voor het opnemen van illustraties ter verlevendiging van de tekst. Illustraties hebben over het algemeen een verduidelijkende, een aandachttrekkende of een esthetische functie. Ze kunnen duidelijker zijn dan taal, ze kunnen de lezer ergens op attenderen, en ze kunnen voor afwisseling en levendigheid zorgen. Cijfermatig materiaal komt vaak beter tot zijn recht in een tabel dan in lopend proza. Let er wel op dat niet al het materiaal geschikt is voor opname in het literatuurverslag zelf. Soms is de aard van deze gegevens geschikter voor opname in een aparte bijlage. Voor hulp bij de keuze voor het opnemen van illustraties verwijzen we naar paragraaf 7.2.5, hier geven we enkele praktische aanwijzingen.

149

- Houd de basisregel aan dat tabellen een bovenschrift en figuren een onderschrift krijgen (vaak met een nummer).
- Vermeld bij illustraties die je uit andere werken ontleent de bron.
- Geef een titel die voldoende informatief is. Dus niet: 'De invloed van een fusie', maar: 'De invloed van een fusie op de organisatiestructuur'.

Van presenteren tot inleveren

De activiteiten die tijdens deze stap moeten worden uitgevoerd, zijn:
9.1 het controleren van de inhoud;
9.2 het controleren van de structuur;
9.3 het controleren van de samenhang;
9.4 het controleren van de stijl;
9.5 het controleren van de uiterlijke afwerking;
9.6 het printen, binden en inleveren.

Het is verleidelijk de laatste controle van de tekst af te raffelen of zelfs helemaal over te slaan. Toch is de laatste ronde een van de belangrijkste fasen van het schrijven. In dit stadium *lijkt* de tekst dan misschien (inhoudelijk) correct, er kunnen allerlei cruciale fouten zijn blijven zitten. Denk er maar eens aan wat er kan gebeuren als er in een tabel één nul verkeerd staat of als er in de inhoudsopgave nog een hoofdstuk 10 wordt vermeld terwijl dit in de uiteindelijke tekst is komen te vervallen. Bovendien zou het zonde zijn als je na al die moeite van het materiaal verzamelen en het formuleren van de inhoud in de juiste toon, een knullige want slordige tekst inlevert alleen omdat je te weinig aandacht besteed hebt aan het uiteindelijke afwerken van de tekst...

Het is goed de tekst een paar dagen weg te leggen, zodat je er nog één keer wat afstand van kunt nemen. Na enige tijd kun je de tekst met frisse blik en nieuwe moed nog eens kritisch doorlezen teneinde de laatste verbeteringen door te voeren. Dit kunnen er meer zijn dan je had gehoopt, want behalve op inhoudelijke zaken zul je ook op alle andere aspecten moeten letten: moeilijkheid, levendigheid, beknoptheid, correctheid, lay-out, illustraties en uiterlijke structuur.

9.1 Het controleren van de inhoud

Het afwerken van het literatuurverslag begint met even teruggaan naar het begin. Nadat je je doel, doelgroep, eerste opzet en veranderingen duidelijk in beeld hebt, kun je de inhoud van je tekst controleren. Dit doe je door je vooral te richten op de kerngedachten van je tekst (zie activiteit 9.1 in de checklist in bijlage III). Let er vooral op of er gedachtesprongen in de tekst zijn blijven zitten. Daarbij weet jij dan wel wat je bedoelt, of waarnaar je verwijst, maar een lezer kan er wel eens niets of iets heel anders van gaan maken. Omdat jij er baat bij hebt dat je lezer de tekst zonder veel omwegen begrijpt, kan het zijn dat er tekstverbeteringen nodig zijn. De kunst is om bij de eerste fout niet direct naar de computer te hollen om de eerste verbeteringen door te voeren. Noteer de verbeteringen in de marge en pak het redigeren pas aan het eind integraal aan. Alleen zo kun je de tekst echt *lezen* (en niet slechts *bekijken*) en weet je zeker dat het verbeteren ook consequent gebeurt.

9.2 Het controleren van de structuur

Heb je de tekst nog eens goed gelezen op inhoud, dan stuit je vanzelf op de structuur. De centrale vraag is hier immers: staat die inhoud in de juiste volgorde en komt die volgorde duidelijk naar voren? Het is raadzaam de structuur van het literatuurverslag pas te bekijken *nadat* je de tekst inhoudelijk hebt doorgelezen. Als je namelijk tijdens het lezen ook nog moet letten op de opbouw in onderdelen, kan het zijn dat je je niet goed in de lezer kunt verplaatsen. De structuur van je literatuurverslag is eenvoudig te controleren met behulp van de informatie in hoofdstuk 5 van dit deel (zie ook activiteit 9.2 in bijlage III). Immers, bij de structuur van de tekst hoort ook de indeling in hoofdstukken en paragrafen, inclusief het gebruik van tussenkopjes om de verschillende (deel)onderwerpen te markeren. Eerst moet worden gekeken of de hoofdstukindeling inhoudelijk goed aansluit op de in de tekst beantwoorde hoofd- en deelvragen. Daarna moet worden nagegaan of ook deze volgorde logisch is. Ten slotte moet worden bekeken of de uiterlijke structuur bij de inhoud van de tekst aansluit.

Maak bij het controleren van de structuur weer aantekeningen in de marge, desnoods met een andere kleur. Zo weet je op het moment dat je gaat verbeteren nog precies wat er moet worden veranderd.

9.3 Het controleren van de samenhang

Het controleren van de samenhang is iets anders dan het controleren van de structuur. Bij het eerste loop je de onderdelen van de tekst en hun volgorde na, bij het controleren van de samenhang kijk je of de onderdelen wel een logisch onderling verband vertonen. Ook al zijn alle noodzakelijke onderdelen in een tekst aanwezig, zonder onderling verband is er geen sprake van een samenhangende tekst. Zoals we in hoofdstuk 6 van dit deel bespraken, betreft samenhang enerzijds de volledigheid van de tekst en anderzijds de organisatie van de informatie en de toelichtingen hierop. In dit stadium hoeft enkel nog te worden gecontroleerd of de naar aanleiding van hoofdstuk 6 aangebrachte verbanden tot *voldoende* samenhang geleid hebben (zie activiteit 9.3 in bijlage III).

9.4 Het controleren van de stijl

Je eigen schrijfstijl is heel moeilijk te 'controleren'. De toon die je tekst heeft, zal je altijd bekend en wellicht zelfs als enig juiste in de oren klinken. Het zal ook moeilijk zijn een andere toon aan te slaan, al beschikt iedere schrijver over meer schrijfstijlen (voor kinderen zul je anders schrijven dan voor volwassenen...). Het is niet onze bedoeling dat je hier verschillende stijlen gaat uitproberen. Als het goed is, heb je (mede op basis van paragraaf 7.4.1) voor een bepaalde stijl *gekozen*. Controleer of je deze stijl consequent hebt toegepast én of je geen grammaticale fouten of spelfouten hebt laten zitten.

9.5 Het controleren van de uiterlijke afwerking

De uiterlijke afwerking komt natuurlijk als laatste aan bod. Toch is de vormgeving van je literatuurverslag de éérste blikvanger. Het controleren van het uiterlijk van de tekst is vaak gemakkelijker dan het nakijken van de 'innerlijke' tekst. Je ziet het meestal snel wanneer er iets mis is.

9.6 Het printen, binden en inleveren

Nadat alle laatste fouten, onduidelijkheden en andere oneffenheden in de marges zijn genoteerd, kunnen ze worden doorgevoerd. Hierbij moet de nodige voorzichtigheid worden betracht, want wie dit even snel wil doen, maakt vaak weer nieuwe fouten. Het is dan ook raadzaam de tekst alleen te printen als je er zeker van bent dat alle fouten zijn verbeterd.

Inhoudsopgave, bladindeling (kan verspringen als je op een andere printer overstapt), paginanummering, titelblad, (eventueel lettergrootte) verdienen in dit stadium de aandacht. Heb je verwijzingen naar bladzijden in je tekst opgenomen, dan is het raadzaam dat je die nu controleert.

Tot slot kan het geheel dan eindelijk ingebonden of gebundeld en ingeleverd worden. Pas nu kan de tekst naar de lezers. In de hoop dat jij je doel bij hen bereikt...

Bijlage III
Checklist van bij de afwerking
uit te voeren activiteiten

Stap 7:　van samenhang tot formuleren

Activiteit 7.1: het herschrijven op moeilijkheid
Hanteer voor het herschrijven op moeilijkheid de volgende uitgangspunten:
- Vermijd moeilijke woorden:
  - onnodige vaktermen;
  - 'intellectuelenwoorden';
  - lange woorden (vaak samenstellingen);
  - schrijftaalwoorden;
  - leenwoorden.
- Verklaar vaktermen.
- Gebruik eenvoudige zinsconstructies:
  - schrijf geen lange zinnen;
  - gebruik geen tangconstructies;
  - vermijd omslachtige formuleringen (met name de negatieve stijl en de naamwoordstijl).

Activiteit 7.2: het herschrijven op levendigheid
Hanteer voor het herschrijven op levendigheid de volgende uitgangspunten:
- Hanteer een passende (en consequente) mate van afstandelijkheid:
  - ouderwetse versus gangbare woorden en zinnen;
  - actieve versus passieve aanspreking;
  - lijdende versus bedrijvende vorm.
- Breng variatie aan in zinsbouw en woordkeus.
- Gebruik vergelijkingen en beeldspraak, maar alleen als deze:
  - origineel zijn;
  - toepasselijk zijn;

- consequent zijn;
- met mate gebruikt worden.
- Gebruik passende voorbeelden en correct weergegeven citaten.
- Maak gebruik van illustraties, maar alleen als deze:
  - of verduidelijken;
  - en/of de aandacht trekken;
  - en/of een esthetische functie hebben;
  - voldoen aan de in paragraaf 7.2.5 gegeven richtlijnen.

Activiteit 7.3: het herschrijven op beknoptheid
Hanteer voor het herschrijven op beknoptheid de volgende uitgangspunten:
- Schrap alle woorden die je niet nodig acht.
- Vermijd onnodige redundantie, parafrases of herhalingen.
- Vermijd onnodige omhaal van woorden:
  - zinnen met een te lange aanloop;
  - voorzetselconstructies;
  - overige onnodige omschrijvingen.
- Verwijder onnodige stoplappen en andere kwalificaties.
- Expliciteer verbanden die niet voor zichzelf spreken.

Activiteit 7.4: het herschrijven op correctheid
Hanteer voor het herschrijven op correctheid de volgende uitgangspunten:
- Controleer de schrijfwijze van de werkwoordstijden.
- Controleer verwijzingen en verbindingen.
- Controleer de schrijfwijze van samenstellingen.
- Controleer de samentrekkingen en de beknopte bijzinnen.
- Controleer het gebruik van de leestekens.
- Ga na of je niet in een van de in paragraaf 7.4.6 beschreven 'grammaticale valkuilen' bent gestapt.

Voor alle activiteiten in deze stap geldt dat het nalezen op de verschillende stijlkenmerken ook door een ingeschakelde deskundige 'proeflezer' gedaan kan worden.

Stap 8: van formuleren tot presenteren

Activiteit 8.1: het verzorgen van de lay-out

Pas wanneer de tekst inhoudelijk klopt, besteed je aandacht aan het uiterlijk. Verzorg de opmaak van de tekst aan de hand van de volgende aandachtspunten:

- Bepaal het stramien van de tekst: de kop- en voetteksten.
- Bepaal de bladindeling: de witmarges.
- Stel het lettertype en de lettergrootte(n) in.
- Gebruik consequente markeringen (vet/cursief, cijfers/letters), maar met mate. Leg deze eventueel vast in een stijlvoorschrift.

Activiteit 8.2: het opnemen van schema's, tabellen en illustraties

Verzorg de op te nemen schema's, tabellen en illustraties volgens de richtlijnen in paragraaf 7.2.5 en 8.2.

Stap 9: van presenteren tot inleveren

Activiteit 9.1: het controleren van de inhoud

Loop de hoofdstukken na op hoofdideeën en stel jezelf daarbij de volgende vragen:

- Is het duidelijk wat voor soort tekst het literatuurverslag is?
- Wordt het onderwerp duidelijk genoeg ingeleid?
- Wordt het kader waarbinnen de tekst en het onderwerp vallen duidelijk?
- Komt het probleem, de probleemstelling uit de verf?
- Is voldoende duidelijk wat het doel is van de tekst, dat wil zeggen: is duidelijk waaróm het een probleem is en waarom er een oplossing nodig is?
- Blijkt uit de tekst waarom de te geven informatie voor de lezers van belang is?
- Komen alle noodzakelijke onderdelen van het probleem aan de orde?
- Sluiten de deelvragen logisch op de probleemstelling aan?
- Worden de keuze en behandeling van de deelvragen expliciet aan de lezer toegelicht?
- Is de volgorde van behandeling begrijpelijk?
- Is duidelijk hoe de deelvragen met de probleemstelling en de deelvragen onderling met elkaar samenhangen?
- Zijn alle uitspraken voldoende controleerbaar?
- Zijn alle uitspraken voldoende beargumenteerd?

Activiteit 9.2: het controleren van de structuur

Met behulp van de volgende vragenlijst kun je nagaan of de onderdelen zijn zoals je deze bedoeld had:

- Bevat het literatuurverslag alle benodigde onderdelen (zie 5.1)?
- Is de informatie op de omslag volledig (zie 5.1.1)?
- Zijn de gegevens op de titelpagina juist (zie 5.1.2)?
- Zijn de verschillende onderdelen van het literatuurverslag correct ingevuld (zie 5.1.3 tot en met 5.1.6)?
- Is de samenvatting informatief? Is zij los van het rapport begrijpelijk?
- Is de inleiding volledig (probleembeschrijving, doel, afbakening, structuurbeschrijving)?
- Hebben de conclusies de vorm van kernachtige uitspraken? Zijn ze zelfstandig leesbaar? Volgen ze uit het literatuurverslag?
- Hebben eventuele aanbevelingen een goede, eigen plaats (na de conclusie)? Volgen ze logisch uit de conclusies? Zijn ze kernachtig geformuleerd en gericht op de doelgroep?
- Zijn de noten correct (zie 5.1.7)?
- Zijn de bibliografie en de literatuurverwijzingen volgens de eisen (zie 5.1.8)?
- Zijn details zo veel mogelijk in de bijlagen ondergebracht?
- Zijn de bijlagen overzichtelijk, goed genummerd, getiteld en in de juiste volgorde opgenomen (zie 5.1.9)?
- Is er op de juiste plaats duidelijk naar de bijlagen verwezen?
- Is de eventueel op te nemen woordenlijst of index foutloos (zie 5.1.10)?

Voor het controleren van de uiterlijke structuurelementen kun je gebruikmaken van de volgende vragen:

- Dekt de titel (en ondertitel) de lading? Is hij niet te lang?
- Is de tekst voldoende onderverdeeld in hoofdstukken en paragrafen? Is de onderverdeling niet te ver doorgevoerd (geen subsubsubsubparagrafen of alinea's van slechts één zin)?
- Sluit de hoofdstukindeling goed aan op de probleemstelling en haar bijbehorende deelvragen, dat wil zeggen zijn de hoofdstukken passend?
- Zijn de hoofdstukken ongeveer even lang? Zijn ze op een overeenkomstige manier opgebouwd (met inleiding en paragrafen) en genummerd?
- Zijn alle hoofdstukken consequent (al dan niet) in paragrafen opgedeeld? Zijn de paragrafen ongeveer even lang? Zijn ze op een overeenkomstige manier opgebouwd (met inleidende zin en alinea's) en genummerd?
- Is de relatie tussen hoofdstuk en paragraaf duidelijk?
- Dekken de hoofdstuk- en paragraaftitels de lading en zijn ze informatief genoeg? Zijn ze consequent geformuleerd (zie 6.3.2)?

- Zijn de onderverdeling en de nummering van de hoofdstukken en paragrafen correct?
- Zijn de eventuele andere tussenkoppen logisch? Dekken ze de lading?
- Zijn opsommingen en markeringen consequent?
- Zijn de vlakverdeling en het gebruik van witregels goed (oogt de tekst overzichtelijk)?
- Bevat ieder hoofdstuk een eigen inleiding? Bevat deze de noodzakelijke onderdelen (zie 6.3)?

Activiteit 9.3: het controleren van de samenhang

Om de samenhang te controleren kun je bij de tekst de volgende vragen stellen:

- Bevat de tekst voor een optimaal begrip door de doelgroep niet te veel, maar ook niet te weinig informatie (zie 6.1)? Zijn onbekende begrippen en gedachtegangen voldoende geëxpliciteerd (zie 6.1.1)? Is omhaal van woorden en redundante informatie zo veel mogelijk vermeden (zie 6.1.2)?
- Zijn ongenuanceerde uitspraken zo veel mogelijk vermeden (zie 6.1.3)?
- Is de volgorde van de hoofdstukken en daarbinnen van paragrafen logisch?
- Hangen de titels van hoofdstukken en paragrafen duidelijk met elkaar samen?
- Zijn paragrafen in duidelijke alinea's verdeeld? Concentreert elke alinea zich inderdaad op één (deel-)onderwerp?
- Is de samenhang van de tekst voldoende toegelicht op de daarvoor bestemde voorkeursplaatsen (de algemene inleiding van het literatuurverslag, de inleidingen van hoofdstukken en paragrafen en de eerste zinnen van alinea's)?
- Worden er voldoende overgangsalinea's, -zinnen of -woorden gebruikt (zie 6.2.2)?
- Bevatten de inleidingen duidelijke vooruitblikken (aankondigingen op wat komen gaat) en terugblikken (heel korte samenvattingen van/verwijzingen naar wat behandeld is) die de samenhang illustreren?
- Zijn overgangen van het ene naar het andere (deel)onderwerp voldoende gemarkeerd?
- Zijn de verwijswoorden en signaalwoorden duidelijk?

Activiteit 9.4: het controleren van de stijl

De vragen die je je kunt stellen bij de controle van de stijl zijn:

- Past het taalgebruik bij de doelgroep? Is het niet te moeilijk of te makkelijk (zie 7.1)?
- Is de mate van afstandelijkheid in het taalgebruik passend en consequent (zie 7.2)?

159

- Is het taalgebruik gevarieerd genoeg (leest het prettig)?
- Zijn alle termen voldoende gedefinieerd?
- Is de gebruikte beeldspraak geschikt?
- Zijn gehanteerde voorbeelden en citaten passend en correct?
- Worden onnodige omschrijvingen vermeden?
- Is de spelling overal correct en consequent?
- Zijn alle werkwoordsvervoegingen, verwijzingen, verbindingen, samenstellingen, samentrekkingen, beknopte bijzinnen juist (zie 7.4)?
- Is het gebruik van leestekens eenduidig en correct (zie 7.4.5)?
- Is de tekst grammaticaal foutloos (zie de valkuilen genoemd in 7.4.6)?

Activiteit 9.5: het controleren van de uiterlijke afwerking

Bij de laatste controle van de uiterlijke afwerking kun je op de volgende zaken letten (zie ook hoofdstuk 5 en 8):
- Zijn de kop- en voetteksten goed? Staan ze op een juiste en vaste plaats?
- Zijn de witmarges ruim genoeg en door het hele literatuurverslag gelijk (zie 8.1.2)?
- Is de typografie goed en consequent gebruikt?
- Zijn de markeringen consequent aangehouden?
- Zijn alle illustraties passend en correct? Zijn alle illustraties voorzien van nummer, informatieve titel en eventuele bronvermelding? Wordt er in de tekst duidelijk naar iedere illustratie verwezen?
- Is het gebruik van witregels consequent en structuur-ondersteunend?
- Worden alinea's aangegeven door inspringen of een witregel? Wordt binnen een alinea doorgeschreven?
- Wordt overal waar nodig naar literatuur (of eventuele andere bronnen) verwezen?
- Zijn literatuurverwijzingen en citaten volgens de eisen (zie 5.1.8) weergegeven?
- Voldoet de bibliografie aan de eisen (zie 5.1.8)?
- Is de tekst vrij van typefouten?

Activiteit 9.6: het printen, binden en inleveren

De volgende vragen zijn van belang bij het printen, binden en inleveren:
- Is de paginanummering van literatuurverslag en bijlagen (eventueel apart genummerd) correct?
- Is de bladindeling goed (formaat en plaats van de titel, witmarges, witregels)? Heb je rekening gehouden met de ruimte die het eventuele inbinden neemt (linkermarge)?
- Loopt de tekst nergens van de bladzijde af?

– Klopt de inhoudsopgave (de precieze nummers en titels en paginanummers) met de tekst?
– Bevat het titelblad alle benodigde gegevens? Is de titel duidelijk (en aantrekkelijk) weergegeven?

Literatuurlijst

Andeweg, B. & J. Jaspers, *Schrijven en schrijversvaardigheden*, 4e druk, Nijmegen: Katholieke Universiteit, 1986.

Elling, M.G.M. & B.A. Andeweg, *De techniek van het schriftelijk rapporteren*, Delft: Technische Universiteit, 1990.

Haeseryn, W., K. Romijn, G. Geerts, e.a., *Algemene Nederlandse Spraakkunst*, 2e geh. herz. druk, Groningen/Deurne: Martinus Nijhoff uitgevers/Wolters Plantyn, 2 banden, 1997.

Nederhoed, P., *Helder rapporteren, Een handleiding voor het schrijven van rapporten, scripties, nota's en artikelen in wetenschap en techniek*, Houten/Zaventem: Van Loghum Slaterus, 1989.

Onrust, M., A. Verhaeghen & R. Doeve, *Formuleren*, Houten/Zaventem: Bohn Stafleu Van Loghum, 1993.

Overduin, B., *Rapporteren, Het schrijven van rapporten, nota's, scripties en artikelen*, Utrecht: Aula Utrecht, 1986, Paperback nr. 133.

Rienecker, L. & P. Stray Jörgensen, 'The (im)possibilities in teaching university writing in the Anglo-American tradition when dealing with continental student writers', In: L. Björk e.a. (eds.), *Teaching academic writing in European higher education*, Dordrecht: Kluwer Academic Publishers, 2003.

Steehouder, M. e.a., *Leren communiceren, Procedures voor mondelinge en schriftelijke communicatie*, 2e geh. herz. druk, Groningen: Wolters-Noordhoff, 1984.

Steehouder, M. e.a., *Leren communiceren, Handboek voor mondelinge en schriftelijke communicatie*, 3e geh. herz. druk, Groningen: Wolters-Noordhoff, 1992.

Steehouder, M. e.a., *Leren communiceren, Handboek voor mondelinge en schriftelijke communicatie*, 5e geh. herz. druk, Groningen: Wolters-Noordhoff, 2006.

Verschuren, P.J.M., *De probleemstelling voor een onderzoek*, Aula Utrecht, 1988, Paperback nr. 134.

Voorst, S. van & M. Wilders (red.), *Nederlandse Taal en Cultuur, Bronvermelding*, Opleiding Nederlandse Taal en Cultuur, Groningen: RUG, 2006.

Register